LA LETTRE DANS LA BOUTEILLE

KAREN LIEBREICH

LA LETTRE DANS LA BOUTEILLE

Traduit de l'anglais (Grande-Bretagne)
par Laure Joanin

Titre original
The Letter in the Bottle

7-13, boulevard Paul-Émile-Victor – Ile de la Jatte
92521 Neuilly-sur-Seine Cedex
www.michel-lafon.com

Un livre est une bouteille jetée en pleine mer sur
laquelle il faut coller cette étiquette : attrape qui peut.
Alfred de Vigny, *in Journal d'un poète*

Écrire un livre, c'est un peu comme jeter un message dans
une bouteille à la mer. Nul ne peut contrôler qui le lira.
Philip Pullman, BBC Radio 4,
17 novembre 2003

Le dimanche 17 février 2002, une bouteille contenant une lettre s'échouait sur la plage de Warden Bay, sur l'île de Sheppey, dans le Kent.

CHAPITRE PREMIER

La bouteille gisait, échouée dans la boue à l'endroit où la marée avait laissé son empreinte. D'un bleu intense et brillant, sculptée en forme de larme, elle trônait au milieu des algues et des débris qui l'entouraient.

La femme avait décidé de faire une pause, le temps de promener les chiens. Brusquement agacée par la masse de travail en retard qui l'attendait, elle avait quitté son bureau et s'était dirigée vers sa voiture.

Warden Bay n'était pas la plage la plus proche. Il fallait vingt minutes par la route pour y accéder, mais son aspect lugubre convenait à son humeur. Elle passa le pont et se dirigea vers l'île de Sheppey, appréciant du regard l'immensité et la platitude du paysage qui la soulageaient de la claustrophobie éprouvée au bureau.

En hiver, à marée basse, la boue grise de Warden Bay s'étendait à perte de vue. La topographie des lieux, leur uniformité n'attiraient pas les visiteurs qui lui préféraient Beachy Head, ses immenses plages, ses parkings bien utiles, ses routes d'accès pratiques et ses falaises plongeantes. Personne ne se promenait à Warden Bay en hiver, même s'il arrivait que les petits voyous qui vivaient dans la cité HLM battue par les vents, située derrière les petites collines boueuses, s'amusent à balancer des chariots de supermarché sur le rivage en contrebas.

Elle marchait sur la plage depuis vingt minutes, emmitouflée dans une vieille veste en cuir dont elle avait remonté la fermeture Éclair jusqu'au menton pour se protéger du froid et de l'humidité, la tête coiffée d'un bonnet à pompon descendu sur le front. Les chiens bondissaient joyeusement à quelques centaines de mètres d'elle, sans perdre de vue la direction qu'elle empruntait. Leur poil brun et noir, terni par la lumière grisâtre de l'hiver, se confondait avec les galets et, lors des rares moments où ils s'immobilisaient pour renifler quelque chose de particulièrement intéressant, on les distinguait à peine.

Le bleu de la bouteille faisait l'effet d'une explosion de couleur qu'elle aperçut au loin alors qu'elle progressait sur la plage, les épaules voûtées contre les assauts du vent. Sa luminosité appartenait à d'autres climats, à ces pays où le soleil brille et où la mer scintille d'un bleu limpide. Elle gisait au niveau de la laisse de haute mer, à l'endroit où la boue grise rencontrait les galets délavés.

Attirée par son aspect fragile et sa couleur irrésistible, la femme s'approcha et se pencha pour la ramasser. Il lui aurait été aussi impossible de ne pas s'en emparer que d'abandonner son propre enfant sur la plage. Peut-être l'utiliserait-elle comme soliflore lors d'un lointain printemps… Une petite voix lui murmura qu'elle avait déjà de quoi remplir une étagère de cuisine avec toutes les bouteilles poussiéreuses qu'elle avait récupérées, mais celle-ci était différente. La forme en était inhabituelle : c'était une bouteille Evian en forme de larme, qui même dans un supermarché éclairé et regorgeant de couleurs primaires ou criardes aurait détonné. Sur cette plage monochrome, l'effet en était saisissant. Tandis qu'elle s'accroupissait pour la contempler, humide et étincelante dans sa paume gantée de laine, elle s'aperçut qu'elle contenait un fin rouleau de papier.

Quelque chose frémit en elle. Une lettre dans une bouteille. Comme un peu d'animation qui brisait la monotonie de cette triste journée, de ce triste mois, qui succédait à ce qui s'était révélé une triste année. Elle tenta de dévisser le bouchon, mais ses gants dérapèrent sur le verre ; une bruine fine avait embué la surface de la bouteille. Plutôt que de risquer d'abîmer le message, elle réfréna sa fébrilité, siffla ses compagnons et reprit le chemin de la maison. Les chiens, pris au dépourvu, se lancèrent à ses trousses.

De retour chez elle, tout en séchant les pattes de ses chiens et en se préparant une tasse de thé, elle restait obnubilée par la bouteille et le rouleau de papier qu'elle contenait. S'agissait-il d'une lettre d'amour ? D'un appel à l'aide ? Ou simplement d'une blague de gamins ? Elle savait déjà que cette bouteille était exceptionnelle, parce que la marée ne l'avait pas cassée, que la boue ne l'avait pas enterrée et que les enfants du coin ne l'avaient ni découverte ni brisée. À croire qu'elle lui était personnellement destinée.

Elle emporta son mug et la bouteille dans le salon et s'assit sur le canapé. Dans un coin, les chiens léchaient le sable et le sel qui s'étaient déposés entre leurs pattes. Une odeur de poil mouillé monta dans la pièce. La bouteille semblait briller de promesses, et la femme hésitait à l'idée d'interrompre ce délicieux petit frisson d'anticipation. Finalement, elle déposa son mug, saisit la bouteille et essaya de dévisser le bouchon. Sa forme étrangement pointue ne lui offrait qu'une faible prise. Elle se débattit avec, un certain temps, et brusquement il céda.

Une bande d'adhésif blanc en avait garanti l'étanchéité et la lettre était sèche. Elle renversa la bouteille sur la table basse et le rouleau noué par un ruban bleu pâle s'en échappa, accompagné d'une pluie de copeaux de bois parfumés. Très doucement, elle défit la ganse étroite et déroula les papiers. Une mèche de cheveux bouclés s'échappa des pages. Entre ses doigts, elle tenait deux feuilles entièrement recouvertes d'un texte rédigé à l'encre bleue, qui cherchaient à s'enrouler de nouveau sur elles-mêmes. L'écriture, pleine de boucles, était visiblement étrangère, et son français d'écolière lui permettait à peine de déchiffrer les premiers mots.

Elle éprouva une vive déception. De toute évidence, il lui faudrait attendre avant de connaître le contenu du message, même s'il paraissait normal que la bouteille cherchât à se cramponner à son secret un peu plus longtemps. Tout en portant la lettre à son nez, afin d'inhaler l'odeur sucrée qui s'échappait des copeaux du bois de santal qui avait retenu le rouleau de papier, elle se demanda à qui elle pourrait demander de traduire le texte. La bouteille avait été choisie avec tant de soin, le ruban, la mèche de cheveux, les copeaux parfumés avaient été réunis et disposés avec tant de méticulosité et de tendresse, que la teneur du message ne serait sûrement pas décevante. Elle abandonna la bouteille et son contenu sur la table et se dirigea vers le téléphone.

CHAPITRE 2

Même si j'avais immédiatement accepté de jeter un coup d'œil à la lettre, je fus agacée en la voyant arriver un à deux jours plus tard. J'étais en train de m'efforcer de respecter un délai impératif pour mon travail et je n'avais pas de temps à perdre. J'avais écouté d'une oreille distraite le récit de la découverte de la bouteille, et la brusque apparition de ces pages rédigées dans un français compliqué tombait à un mauvais moment. Mon amie n'avait pas remis la lettre dans la bouteille, elle s'était contentée de m'en poster les feuillets qu'elle avait grossièrement aplatis, dans une enveloppe recyclée, sans aucun mot d'accompagnement. Quand, en dépliant les papiers, j'aperçus l'écriture alambiquée, avec des r et des n qui ressemblaient à des u, je perdis tout courage. Je survolai les premières lignes sans enthousiasme. Il allait falloir pas mal d'efforts pour déchiffrer cela… Je mis le texte de côté, avec l'idée de m'en occuper quand j'en aurais le loisir.

Quelques semaines plus tard, je sortis la lettre de mon bac à courrier et m'attelai à sa traduction en anglais que je tapai directement au fur et à mesure de ma lecture, sans m'attacher à sa signification[1].

À tous les navires au large, à tous les ports d'attache, à ma famille, à tous les amis et à tous les inconnus.

Ceci est un message, une prière, le message, c'est que mes souffrances, mes errances m'ont enseignées une grande vérité.

J'avais déjà ce que tout le monde recherche (il y a bien longtemps)... et peu arrivent de trouver, la seule personne au monde que je suis née pour aimer toute ma vie, mon premier fils, Maurice, un enfant riche de trésors tout simple et que nul vent..., nulle tempête..., ni même la mort ne pourront jamais détruire, la prière... c'est que toutes les mères puissent connaître un tel amour afin qu'ils les guérissent... Si ma prière est exaucée, elle effacera, toutes fautes... tous regrets... et apaisera toutes colères.

S'il vous plaît mon dieu...

Ma vie a commencé avec lui à sa naissance, et j'ai cru qu'elle était finie quand il m'a quitté un soir d'été pour ne plus jamais revenir, il avait treize ans... sans prévenir, il s'est dérobé à la vie dans un trop plein de désirs, un trop vif de vivance, à l'aurore de l'été. Il a voyagé trop longtemps entre deux eaux, entre deux lumières, pour tenter d'éteindre/atteindre (?) infatigablement le repos de ses deux bras tendus. Il a subi, le silence, les peurs, et le froid, mais il a découvert les

1. Nous avons pris le parti de reproduire cette lettre ici in extenso, en respectant l'orthographe originale. (Note de l'éditeur.)

chemins secrets de l'univers, le mouvement infini des origines, et l'errance des étoiles.

Il ne savait pas que moi, sa mère, je l'alimentais de mes pensées pour lui donner inlassablement la vie en souvenir, pour le garder entier au présent de ma chair.

Pardon mon fils, mon amour..., j'ai cru qu'en m'accrochant ainsi à ton souvenir, je nous maintiendrais en vie tous les deux aussi longtemps que possible. Pardon mon fils de ne pas t'avoir parlé depuis si longtemps, j'avais le sentiment d'être perdue, sans repères, je n'arrêtais pas de me cogner, de trébucher partout..., jamais avant que tu ne me quittes je n'avais été perdue, c'était toi qui m'indiquais le nord, je retrouvais toujours mon chemin, car tu étais mon chemin.

Pardonne la colère qu'a été ta disparition, je pense toujours qu'une erreur a été commise et j'attends de Dieu qu'il la répare.

Je vais mieux maintenant, mon grand, le chemin a été long, très long, mais par-dessus tout, c'est toi qui me soutiens. Tu m'es apparu en rêve, il y a quelques nuits, et tu avais le sourire qui me berce comme une enfant, j'ai compris qu'il était temps pour moi de te laisser partir.

Tu es resté près de moi pendant toutes ces années..., je me suis accrochée avec toute ma désespérance à ce qui n'était plus et qui ne sera jamais plus.

Mon infinitude, j'ai commencé par laisser s'échapper de mon être, de mon cœur, de mon âme, cette souffrance qui m'habitait entièrement croyant qu'elle me reliait à toi, ne laissant place à rien d'autre. J'ai réussi grâce à toi mon amour, à transformer cette souffrance en amour, en vivance. Tout ce que j'ai gardé du rêve, c'est un sentiment de paix, pour toi, pour moi, à mon réveil, je l'éprouvais encore et je me suis efforcée de le prolonger aussi longtemps que possible.

Je t'écris Maurice, pour te dire que je m'embarque à la recherche de cette paix et pour te demander pardon pour tant de choses. Pardon de n'avoir pas su te protéger de la mort, pardon de n'avoir pas su trouver les mots dans ce terrible moment où tu me glissais entre les doigts, pour exprimer ce que je ressentais et par-dessus tout de n'avoir pas su te serrer si fort que dieu n'aurait pu t'emporter.

Il n'est pas un instant de ma vie mon fils où tu ne sois présent. Que de chemins traversés avant de pouvoir écouter et entendre le sens de ma souffrance, de notre souffrance.

Tes treize années de vie m'ont apporté un bonheur infini. Aujourd'hui, je sais que tu as été de passage pour me montrer un chemin, pour témoigner d'un choix de vie à faire, tu m'as invitée par ton départ, d'oser un changement que je n'avais pas pu envisager jusqu'alors. Tu avais le pouvoir de dire, par ta présence, vie combien furtive et fugace et ta disparition brutale, maman « oses ta vie, toi seule la vivras ». J'écoute et j'entends aujourd'hui le message que mon fils m'a envoyé, dont la présence si éphémère m'a blessée à jamais en restant sourde longtemps à son message.

Aujourd'hui le voyage se termine, mon fils a regagné le port, près d'un rivage lointain, tout près du soleil levant. Il a retrouvé la barque légère de son enfance qui le conduira doucement vers la paix conquise.

Voilà mon grand, mon amour, je laisse s'envoler le ballon vers les cieux, sereinement avec toute ma tendresse de maman.

Que cette bouteille jetée au large des côtes, reste à jamais bercée par les flots, dans le va et vient des vagues déferlantes.

Tant que Dieu me prêtera vie, je te promets de vivre et d'exister pleinement, de savourer chaque instant de ma vie dans la plénitude et la sérénité.

Je sais que nous nous retrouverons, quand le moment sera venu, Dieu nous doit bien cela.

Au revoir mon fils, au revoir mon amour.

Je t'aime de tout mon cœur, de toute mon âme, et je suis fière d'avoir été ta maman. Tu peux t'envoler dans la quiétude.

Vas mon amour, vas vers la lumière, mon doux goéland. Que la source de ton âme jaillisse et court en murmurant vers la mer, et se déplie comme un lotus aux pétales innombrables.

L'histoire de la plupart d'entre-nous, s'écrit probablement à l'improviste, au fur et à mesure que nous parcourons le chemin de la vie, mais il ait des existences qui semblent tracées d'avance, inéluctables, et qui forment un cercle parfait. Il en ait d'autres dont le tracé est imprévisible, parfois incompréhensible. Ce que j'ai eu le chagrin de perdre au cours de ma vie m'a enseigné ce qu'il y a de plus précieux comme me l'a enseigné un amour qui m'emplit de gratitude.

Cette lettre, mon fils, je tiens à la partager avec une seule personne, la seule amie que je garderais toute ma vie et bien au-delà, elle s'appelle Christine, elle est la douceur infinie.

*
* *

J'avais commencé le déchiffrage et la traduction de la lettre sans aucune idée préconçue. Le texte était long et j'estimais qu'il me faudrait probablement une heure rien que pour en taper une version approximative. Mais dès le début de ma lecture, je fus emportée par le périple émotionnel de cette mère inconnue qui avait perdu son fils. Comment peut-on accepter une chose pareille ? Comment parvient-on à continuer à vivre ? Comment était-il mort ? Plus je progressais dans la traduction, plus je commençais à craindre que ce message ne fût une annonce de suicide.

Arrivée au milieu du texte, je m'arrêtai et passai à la fin, effrayée à l'idée d'y lire une volonté d'adieu et d'apprendre que la mère comptait sauter de la falaise pour rejoindre son fils. Mais comme les dernières lignes n'avaient aucun sens par rapport au reste de la lettre, je fus contrainte de reprendre ma lecture là où je l'avais interrompue. J'accélérai le rythme, traduisant les phrases, le plus littéralement possible, afin de découvrir au plus vite ce qui s'était passé. Les larmes coulaient sur mes joues et mon compagnon, qui travaillait tranquillement derrière moi, me lança un coup d'œil intrigué. J'étais incapable de m'arrêter pour recouvrer mon sang-froid. Quand enfin je lus que la mère promettait à son fils de « vivre et d'exister » et de « savourer chaque instant de [sa] vie dans la plénitude et la sérénité », mon anxiété s'atténua. Ma lecture terminée, j'étais brisée par l'horrible drame qu'avait vécu l'auteur de ce message et par la violence de son chagrin. Qui était cette femme ? Qu'était-il arrivé à Maurice ? Où se trouvait-elle aujourd'hui ?

Je conservai la lettre, mais en envoyai la traduction à mon amie avant de retourner avec soulagement à mon travail.

CHAPITRE 3

Pendant plusieurs jours, je n'eus aucune nouvelle. Finalement, je demandai à mon amie si elle avait reçu ma traduction et ce qu'elle en avait pensé.

– C'est affreux, me répondit-elle presque dans un murmure.

J'entendis sa voix se briser. Tout comme moi, elle avait été bouleversée par la lecture de cette lettre. Mère célibataire d'un garçon de treize ans, elle avait trouvé ce message si insupportable qu'elle s'y était reprise à plusieurs fois pour aller jusqu'au bout. Quand elle avait ramassé la bouteille sur la plage, elle avait imaginé une idylle, une énigme, une aventure de papier en provenance d'un rivage lointain. Mais ce qu'elle venait de lire n'avait pas grand-chose à voir avec une lettre contant une amourette sans lendemain. Elle m'a raconté plus tard que, pendant plusieurs jours, elle s'était sentie déprimée et vulnérable, qu'elle avait pleuré la mort de Maurice et éprouvé une profonde empathie pour le chagrin de cette mère inconnue. Elle s'était surprise à se montrer discrètement plus protectrice envers son propre fils. Elle s'offrait de l'accompagner à ses matchs de football ; elle faisait un bout de chemin avec lui quand il partait à l'école le matin. Elle le déposait en voiture lorsqu'il allait rejoindre ses copains, afin qu'il n'ait pas à prendre le bus tout seul.

La mort d'un enfant est inimaginable. L'esprit se dérobe à une telle pensée, mais cette lettre m'obligeait à affronter cette réalité. Bien que ce fût mon amie qui avait découvert la bouteille, j'avais l'impression que les feuillets qu'elle contenait m'étaient destinés. C'était moi *l'inconnue*. Hormis Christine, l'amie mystérieuse, j'étais la première personne à tenir entre mes mains les pages noircies par cette mère étrangère tout comme j'avais été la première à lire et à comprendre son message de désespoir.

C'était une lettre intime. Même si elle débutait par une adresse à tous les inconnus, elle se transformait ensuite en une prière uniquement dédiée à son fils. Cependant, le dernier paragraphe paraissait délivrer un message plus universel : La phrase « La vie m'a enseigné ce qu'il y a de plus précieux » faisait écho aux premières lignes qui disaient « que toutes les mères devraient connaître un tel amour afin qu'ils les guérissent ».

Taire à la fois son chagrin tout en le partageant avec les autres dénotait une ambivalence – une ambivalence que l'on retrouvait dans le fait d'écrire secrètement une lettre intime et de la lancer à la mer à destination de tous les inconnus, de tous les ports d'attache, où qu'ils se trouvent dans le monde.

Le fait d'avoir discuté du terrible contenu de cette missive avec mon amie paraissait, sans que je sache pourquoi, la rendre plus réelle, et cette nuit-là j'eus du mal à trouver le sommeil. Je cherchais par tous les moyens à chasser de mon esprit le chagrin de cette mère anonyme et m'efforçais de ne pas penser au nombre de nuits blanches qu'elle avait dû connaître. Ni à quel point elle avait dû avoir l'impression que le tréfonds de son âme avait sombré dans les ténèbres. Cette nuit-là, ce fut la douleur accablante et inévitable de son deuil qui me tint compagnie.

En temps ordinaire, j'évite de penser à une perte aussi dévorante.

Pourquoi me torturer en imaginant la mort de ma fille ou de mon fils ? Quand un enfant disparaît et que son portrait, réalisé le jour de la photo de classe, se détache de la une d'un journal ou sur un écran de télévision, la compassion que l'on éprouve pour sa famille se mêle à un sentiment d'horreur. Mais par-dessus tout, on est envahi par la crainte qu'il puisse s'agir de notre enfant. Personne ne peut manquer d'être ému par ce genre de tragédies, mais seul un parent ressent la perte d'un enfant avec une telle violence. Le récit d'un drame dans les journaux permet de prendre de la distance vis-à-vis des victimes. Le seul fait qu'une mort soit annoncée dans les médias nous la rend plus lointaine et ainsi plus supportable. Mais cette lettre était un cri de douleur qui m'était parvenu sans filtre.

Elle avait échoué sur le seuil de ma maison sans autre fioriture que le caractère mystique de sa jolie bouteille, sans prévenir d'une quelconque tragédie ou d'un mystère, et elle m'avait frappée de toute la brutalité de son contenu. Elle m'avait saisie alors que j'étais assise confortablement derrière mon clavier, à peine sortie de la banalité de la routine scolaire et de la gestion quotidienne de ma vie de famille, et m'avait propulsée dans le malheur vécu par un autre être humain – une mort qui avait transformé l'existence de cette inconnue, dont les mots, lancés dans l'océan, avaient dérivé jusqu'à mon bureau.

Dans les jours qui suivirent, je devins moi aussi plus protectrice envers mes enfants. Je les regardais avec d'autres yeux et je les serrais plus fort contre moi quand ils partaient pour l'école. J'étais submergée par un sentiment de tristesse pour cette mère inconnue. J'avais de la peine à l'idée qu'elle ne puisse plus embrasser fougueusement la chair de sa chair ni lisser une mèche de cheveux indisciplinée. Tous les parents connaissent cette inquiétude de ne pas pouvoir protéger son enfant, de ne pas réussir à le guider vers l'âge adulte. Tous ceux qui ont déjà aimé connaissent la peur de perdre l'objet de leur amour. Jusqu'à un certain degré, cette lettre représentait un message universel ; elle symbolisait l'anxiété que toutes les mères éprouvent pour leur progéniture. Et cependant, c'était le récit d'une tragédie personnelle.

J'avais fait mienne la douleur de la narratrice, mais j'étais également intriguée. Qui était cette femme ? Comment était mort ce garçon ? Que s'était-il réellement passé ? J'avais désespérément envie de savoir qu'elle allait mieux, que les mots rassurants qu'elle avait écrits étaient sincères, et qu'elle avait trouvé un moyen de vivre avec son chagrin et même d'apprécier de nouveau son existence.

J'étais tout simplement en proie à la curiosité. J'étais curieuse de savoir qui elle était, à quoi elle ressemblait, curieuse de savoir ce qui était arrivé à son fils. J'avais toujours considéré ces automobilistes qui ralentissent pour regarder un accident sur le bas-côté de la route comme des badauds voyeurs, mais il était possible que leur intérêt naisse d'une motivation plus complexe : si je sais comment s'est produit l'accident, je pourrai éviter qu'il m'arrive la même chose. Et, bien sûr, je suis heureux et reconnaissant de ne pas être concerné. D'une certaine façon, cette lettre écrite par cette mère inconnue – une mère dont l'existence entière avait été absorbée par celle de son fils et qui avait perdu ce dernier de façon tragique – avait quelque chose à voir avec le comportement des témoins d'un accident. Ce mélange fâcheux de curiosité et d'empathie semblait, par un phénomène d'interaction, donner naissance non seulement à un récit édifiant mais aussi à une énigme captivante.

Quelques jours plus tard, j'appelai mon amie la promeneuse de chiens et la conversation ne tarda pas à s'orienter sur la bouteille à la mer. Même si elle aussi avait envie d'en savoir plus, je sentais que cette histoire ne resterait pour elle qu'un de ces mystères dont la vie est coutumière et qu'elle s'efforçait déjà de chasser le sinistre message de son esprit et de reprendre le cours de son existence. Pour moi, c'était différent. La lettre continua de me hanter au cours des semaines suivantes et, progressivement, le désir d'en avoir le cœur net grandit en moi. Était-il possible de retrouver la mère ?

J'étais comme harcelée par des émotions indignes : je voulais comprendre comment Maurice était mort ; je voulais savoir à quoi ressemblait sa mère ; je voulais savoir si je serais capable de remonter jusqu'aux origines de cette missive anonyme. Je voulais que cette femme sache que la bouteille avait été découverte, splendide et intacte, sur une plage anglaise et que j'avais lu la lettre qu'elle contenait. Je voulais me rassurer, être certaine qu'elle allait bien, que l'élan d'optimisme qui clôturait sa lettre avait duré. Je voulais savoir qu'il y avait une vie après la mort ; qu'il était possible de guérir d'un tel drame, peut-être pas sans cicatrice, mais du moins de pouvoir continuer à mener une existence qui ait un sens.

Et si, par hasard ou par un remarquable travail d'enquête, je retrouvais sa trace, comment l'approcherais-je ? En tant que mère ? Ne prenais-je pas le risque d'avoir l'air de me réjouir que mes enfants soient en vie alors qu'elle pleurait son fils disparu ? Apparaîtrais-je sur le seuil de sa porte, la bouteille à la main, le visage éclairé d'un large sourire ? Aurait-elle vraiment envie d'en savoir plus sur la personne qui avait trouvé sa lettre, ou serait-elle ennuyée d'apprendre que j'avais interrompu son voyage ? Serait-elle heureuse que des personnes attentionnées l'aient découverte ? Avait-elle réellement souhaité qu'elle « demeurât pour toujours bercée par les océans », ou avait-elle désiré que « tous les inconnus » la récupèrent et partagent ses émotions, comme elle l'écrivait aussi ?

Pour l'heure, ces questions restaient sans réponse. Si je découvrais son identité et l'endroit où elle vivait, il serait temps de décider de la façon de la contacter – et s'il était opportun de le faire. Si elle se manifestait à la suite d'un appel à témoin ou d'une petite annonce, cela signifierait qu'elle prenait la décision d'être découverte. Dans les deux hypothèses, il était facile de retarder le moment de réfléchir à une éventuelle rencontre. Ce jour-là semblait si lointain et bien improbable.

La lettre comportait peu d'éléments factuels.

1) Le fils s'appelait Maurice.
2) Il était mort à l'âge de treize ans.
3) C'était son premier fils.
4) Il était mort un soir, « à l'aurore de l'été ».
5) L'auteur de la lettre, la mère, avait une amie proche qui s'appelait Christine.
6) Il y avait quelques éléments matériels, comme la bouteille elle-même, le papier, le ruban, l'encre, les copeaux de bois, la mèche de cheveux.

Il y avait d'autres indices. Étaient-ils concrets ou simplement des métaphores ?

1) « Il s'est dérobé à la vie dans un trop plein de désirs. »

2) « Il a voyagé longtemps entre deux eaux, entre deux lumières. »

3) Elle le suppliait de lui pardonner de ne pas lui avoir parlé « depuis si longtemps ». Soit il était mort longtemps auparavant, soit ils ne s'étaient pas parlé pendant un certain temps avant son décès.

4) « Ce terrible moment où tu me glissais entre les doigts. »

5) « Mon fils a regagné le port, près d'un rivage lointain, tout près du soleil levant. »

Au début, je pris ces indices de façon littérale.

L'auteur de la lettre avait visiblement reçu une assez bonne instruction. Elle avait lu des ouvrages bouddhistes et était imprégnée de vocabulaire New Age. Elle parlait de Dieu, mais sans faire référence à la Bible ou à Jésus. Tantôt elle invoquait Dieu avec une initiale majuscule, d'autres fois avec une minuscule. Cette variante avait-elle une signification ou s'agissait-il seulement d'une négligence ? Cette femme appartenait-elle au culte protestant qui s'adresse à Dieu directement ou à la religion catholique qui reste à une distance respectueuse ? Dans les deux cas, elle était en colère contre Lui – Il avait commis une sérieuse erreur en lui prenant son fils, Il lui devait réparation. Dans la lettre, elle ne faisait pas d'allusion à un homme, un compagnon ou un père. Elle ne mentionnait pas la présence d'autres enfants, bien que le fait de préciser que Maurice était son « premier fils » impliquât qu'il avait des frères et sœurs. Elle ne racontait pas l'enfance de Maurice, sauf pour dire qu'elle avait commencé de vivre le jour de sa naissance. Cette assertion dénotait un niveau d'intensité dans leur relation, auquel ni moi ni mon amie ne pouvions complètement nous identifier : j'avais le sentiment d'avoir vécu une existence agréable et enrichissante avant d'être mère, ce qui n'était pas le cas de mon inconnue. Mais peut-être la mort de son fils avait-elle tellement altéré la perception de ses expériences passées qu'il lui semblait que seule l'existence de Maurice avait validé la sienne. Après le décès d'un enfant, la vie n'est forcément plus la même, mais cela doit-il annuler tout ce qui a eu lieu auparavant ?

La naissance de Maurice avait en tout cas transformé sa mère, lui apportant une valeur et une réalité de femme. Elle semblait entretenir un rapport fusionnel avec lui. Je me rappelais ce sentiment qui m'avait envahie lors des premiers jours de ma maternité, à l'heure où mon enfant appréhendait un début d'autonomie et que je m'efforçais d'accepter que nous n'étions plus liés l'un à l'autre.

Généralement, on tente de rendre ses enfants indépendants, on les encourage doucement à affronter et à traverser la vie. Je me souviens avoir été choquée par une amie qui continuait de donner le sein à son enfant âgé de cinq ans. Il me paraissait évident que ce geste reflétait davantage le besoin qu'elle avait de lui qu'un quelconque besoin nutritionnel de la part de l'enfant. À l'âge de treize ans, un lien aussi fusionnel n'était assurément plus très sain.

Il y avait dans la lettre beaucoup d'images liées à l'eau, de nombreuses références aux vagues, au flottement – et quelques occurrences à la lumière et à l'air. Jamais on ne parlait de la terre : aucune allusion au retour à la poussière, aucune expression tel « le fruit de mes entrailles », aucune des références traditionnelles à la mort et à la décomposition. On ne trouvait ni anecdotes sur l'enfance de Maurice, ni points de repère sur le passage des années, hormis l'épisode de sa naissance. À la fin de la lettre, Maurice apparaissait dans toute sa magnificence, tandis que sa mère restait dans l'eau. La lettre représentait une espèce de voyage à travers ses émotions les plus intimes, de l'eau vers le ciel, jusqu'au paroxysme du chagrin et à la découverte d'une forme de sérénité. Mais rien de tout cela ne fournissait d'informations réellement concrètes.

Le prénom de l'enfant était-il lui-même un indice ? Après tout, il constituait la moitié des faits concernant ce garçon : c'est-à-dire qu'il s'appelait Maurice et qu'il avait treize ans. Y avait-il une région de France où se regroupent la plupart des Maurice ? Cela semblait improbable.

Selon le calendrier des saints, Maurice était un soldat romain, martyrisé en 287 dans ce qui est aujourd'hui la Suisse. Patron des fantassins, des teinturiers et des blanchisseurs, il est particulièrement invoqué pour soulager des crampes. On le célèbre le 22 septembre. À en croire plusieurs dictionnaires des prénoms, Maurice n'a pas de berceau régional particulier.

C'était un prénom démodé. Un prénom peu usité. Un prénom du début du XXe siècle – voire du siècle précédent. Un nom qui rappelle à tout Britannique l'archétype du Français, Maurice Chevalier, et la chanson qu'il entonnait dans *Gigi*, *Thank Heaven for Little Girls*.

Ce n'était sans doute pas le prénom qu'aurait choisi pour son fils une intellectuelle parisienne. Plus probablement une ouvrière des usines Renault. C'était peut-être le nom d'un pêcheur. En tout cas, dans ce cas précis, c'était celui d'un enfant mort.

Après avoir traduit la lettre, je l'avais renvoyée à mon amie. Elle l'avait repliée exactement comme elle l'avait trouvée et, avec beaucoup de difficultés, l'avait réinsérée dans le goulot étroit de la bouteille qu'elle avait déposée sur une étagère de sa cuisine, à côté d'autres objets récupérés sur la plage. De temps à autre, elle y jetait un coup d'œil en faisant sa vaisselle. Bien que nous soyons très proches, nous nous rencontrions rarement, car elle se rendait peu à Londres. La seule fois où je lui avais rendu visite dans sa maison du Kent, c'était à l'occasion de son mariage, des années auparavant. Au fond, même si nous discutions souvent au téléphone, nous ne nous voyions que tous les deux ou trois ans, et toujours dans la capitale. Mais j'étais obsédée par la lettre qu'elle avait découverte. Je voulais savoir à quoi ressemblait la bouteille dont elle m'avait dit, à sa manière toujours un peu gauche, qu'elle était belle et différente. Comment une bouteille pouvait-elle être belle ? Ou différente, d'ailleurs ?

Avec le recul, je me rends compte aujourd'hui que mon désir d'entreprendre ce trajet de trois heures en voiture, qui allait m'obliger à traverser tout Londres pour rejoindre l'un des recoins les plus inaccessibles du Kent, aurait dû m'avertir que j'étais sur le point de m'embarquer dans une drôle d'aventure. Mais à l'époque je me trouvai des excuses : je n'avais pas vu mon amie depuis un certain temps, aussi m'invitai-je chez elle pour déjeuner.

Je descendis donc dans le Kent, et quand mon amie m'apporta la bouteille je compris pourquoi elle m'en avait parlé avec un tel enthousiasme. Elle présentait une jolie et étonnante forme de larme, et sa couleur vive lui donnait du cachet.

Tandis que nous marchions sur la plage, en compagnie des chiens, je m'interrogeais sur les raisons qui la poussaient à choisir un lieu de promenade aussi repoussant. Warden Bay est l'une des plages les plus laides que j'ai jamais vues. La boue était d'une texture glutineuse ; à marée basse, la mer s'éloignait tellement du rivage que l'eau n'était guère engageante ; la situation de la plage, coincée entre la cité HLM et la zone industrielle, était rebutante. Mon amie reconnut qu'elle ne s'y rendait que lorsqu'elle n'avait pas le moral et que ce paysage faisait écho à son humeur morose.

De retour chez elle, je demandai à lui emprunter la bouteille ainsi que la lettre. Elle accepta volontiers, mais au moment de me la donner ses yeux se mirent à briller fugitivement, comme ceux de Bilbo le Hobbit quand il est obligé de passer l'anneau au prochain porteur. Par sa beauté, son mystère et son contenu tragique, la bouteille inspirait un sentiment de possessivité dont j'allais progressivement prendre conscience au cours des semaines et des mois suivants. Lorsqu'elle l'eut lâché, elle sembla presque soulagée. Je partis peu de temps après, accompagnée de mon chien, le poil encore taché par sa balade sur la plage, non sans lui avoir promis de prendre bien soin de la bouteille et de la lui renvoyer quand je l'aurais soigneusement étudiée.

Cette nuit-là, je la sortis du carton protecteur dans lequel je l'avais rangée, déroulai le papier de soie et la déposai sur la table de cuisine tandis que mon compagnon se retirait dans une autre pièce avec son journal. Sans la quitter du regard, fascinée par sa forme et sa couleur, je m'interrogeai de nouveau sur la femme qui l'avait envoyée. Je devinais que mon enquête pour la retrouver ne serait pas facile. Dans le passé, j'avais cherché des documents à travers le dédale des plus vieilles bibliothèques d'Europe, j'avais traqué d'anciens nazis qui avaient échappé aux autorités pendant des années, j'avais exploré les placards des archives secrètes du Vatican, mais, qui sait, peut-être allais-je échouer dans cette dernière enquête. Sous la lumière tamisée et chaleureuse de la cuisine qui reflétait son verre intensément bleuté, la bouteille semblait me lancer un défi. Vas-y, semblait-elle dire. Utilise tes dons de détective et de linguiste dont tu es si fière, découvre ce que je cache…

Je l'enveloppai soigneusement, masquant sa lueur malicieuse d'un coup vindicatif de papier de soie, et l'enfouis au fond de son carton. J'allais relever ce défi.

CHAPITRE 4

« Lancer, jeter une bouteille à la mer : lancer un message en espérant qu'il trouvera un destinataire. »

Le Petit Larousse, 1998.

Je ne me souviens pas de la première fois où j'ai appris que des bouteilles pouvaient contenir des messages. C'est une réalité dont j'ai toujours eu conscience, et qui remonte aux récits d'aventures de mon enfance. D'aussi loin que je me souvienne, j'ai toujours su qu'on pouvait glisser des messages dans une bouteille, bien que je n'en aie jamais lancé moi-même, et que je n'en aie pas découvert. Certains de mes amis ou de mes relations se souvenaient en avoir envoyé quand ils étaient petits, et un ou deux ont même trouvé des bouteilles à la mer, de simples et inoffensives demandes de correspondants réclamés par des enfants passant leurs vacances au bord de l'océan.

Les bouteilles à la mer portent en elles un charme irrésistible ; une façon frivole de voyager et d'être ballottée par les courants, les vents et le hasard le plus total ; l'incongruité de leur apparence, de minuscules éléments solides au milieu d'un immense environnement aquatique. Leur transparence révèle immédiatement qu'il y a un message à l'intérieur, un message rédigé pour celui ou celle qui se trouvera là. L'optimisme et l'espérance que, contre toutes probabilités, une âme sœur la trouve, échouée quelque part sur une plage reculée. Et dans cette histoire précise, le désespoir qui avait dû pousser cette mère à écrire cette lettre et à la jeter à la mer. Une mère condamnée à envoyer des lettres à son fils mort. Des lettres d'une inconnue à une autre inconnue.

Le concept des bouteilles à la mer implique qu'on rédige un message dans l'espoir que quelqu'un le découvre. À la bibliothèque, j'ai trouvé un article expliquant comment en fabriquer une correctement. L'océanographe Ed Sobey, spécialiste des glaces de mer, a travaillé sur le sujet et mis au point des techniques visant à permettre à la bouteille de flotter à un angle et à un niveau convenables :

Prenez une petite bouteille de soda. Celles dont les bouchons se vissent sont les plus appropriées. La première étape consiste à lester la bouteille. Remplissez-la de sable sec et déposez-la dans un seau d'eau. Dosez le sable de façon à lester la bouteille sans qu'elle coule. Elle doit flotter, le col vers le bas, laissant apparaître tout au plus un centimètre de sa surface quand elle est dans l'océan. Les eaux douce et salée ayant des densités différentes, vous devez rajouter du sable si votre bouteille flotte correctement dans l'eau douce afin qu'elle ne coule pas. Vissez le couvercle d'origine ou ajoutez un bouchon pompe ou une capsule. Par précaution supplémentaire, plongez le bouchon et le col de la bouteille dans de la paraffine liquide.

À travers le temps, on s'est servi de bouteilles pour vérifier les courants marins, transmettre des nouvelles, diffuser les Évangiles, promouvoir certains produits, envoyer des messages d'amour et d'espoir et lancer des SOS. Pendant près de vingt ans, le Néerlandais Wim Kruiswijk, qui ramasse des objets sur les plages, a analysé 435 bouteilles ayant atteint les rivages hollandais. Les trois quarts contenaient des demandes de correspondants ou simplement l'adresse de l'expéditeur. Parmi les autres :
36 contenaient des blagues,
27 des pamphlets religieux,
12 des lettres d'amour,
10 « des notes relatives à des études sociologiques »,
9 des dessins,
4 des lettres pornographiques,
3 des appels à l'aide,
2 des publicités,
et une, un manifeste contre la pollution.

Wim Kruiswijk aurait-il classé la lettre pour Maurice dans les messages d'amour, les appels au secours ou les notes relatives à des études sociologiques ?

La première bouteille à la mer que l'Histoire a retenue date de 310 avant J.-C. On la doit au philosophe grec Théophraste qui, pour prouver que la mer Intérieure était reliée à l'Atlantique, lança des bouteilles scellées dans la Méditerranée. Aucune réponse ne parvint à la postérité.

À la fin du XVe siècle, Christophe Colomb consigna dans son journal de bord comment, alors qu'il rentrait en Espagne après la découverte du Nouveau Monde, il avait été pris dans une terrible tempête. De peur de perdre les importantes informations relatives à cette expédition, il rédigea un petit rapport, accompagné d'un message demandant à qui le trouverait de le porter à la reine d'Espagne, et le cacha dans un tonneau qu'il jeta par-dessus bord. Par bonheur la tempête s'apaisa et Colomb survécut : son message n'arriva jamais.

On raconte communément que, dans les années 1580, Elisabeth Ire désigna un royal déboucheur de bouteilles de l'océan, annonçant qu'elle punirait quiconque ouvrirait à sa place de telles bouteilles susceptibles de contenir des informations sur les positions ennemies ou des communications secrètes provenant d'espions. Bien que cette anecdote soit assez romanesque, elle semble cependant s'apparenter plutôt à une légende.

En 1714 – certains disent en 1784 –, Chunosuke Matsuyama fit naufrage avec son navire et son équipage de quarante-quatre personnes sur une petite île alors qu'il cherchait des trésors dans le Pacifique. Son appel au secours arriva des siècles trop tard, en 1935. La légende veut que la bouteille s'échoua sur la plage même où Matsuyama avait grandi.

Pendant ce temps, ramasser des objets sur la plage devenait progressivement un loisir convenable. Au milieu du XVIIIe siècle, il était fréquent de voir sur les rivages européens des savants et des dames désœuvrées, munis de carnets de notes ou de cartons à dessins, traquer les morceaux de bois rejetés par la mer ou des objets intéressants relatifs à l'histoire naturelle. Un historien a décrit cette activité dans l'Angleterre des années 1760 comme une « véritable frénésie parmi les gens de tous milieux ».

En mai 1859, le docteur Livingstone lança une bouteille à la mer, à l'embouchure de la rivière Zambèze sur l'océan Indien, là où se situe aujourd'hui le Mozambique. Il venait de regagner la côte après sa deuxième expédition en Afrique intérieure, espérant y récupérer des vivres et des provisions de sel avant de repartir. Après avoir attendu en vain durant une semaine le bateau à aubes qui transportait ses marchandises, Livingstone adressa sa lettre à un « Commandant de la Royal Navy » sans préciser ni le nom de l'officier ni celui du vaisseau. Il expliquait que son expédition repartant le lendemain, il déposerait la bouteille « à dix pieds au nord magnétique d'une marque (+) incisée dans la borne de l'île » : information superflue, pourrait-on penser, puisque celui qui lirait la lettre aurait déjà trouvé la bouteille. La borne avait été érigée l'année précédente par la marine, et Livingstone avait décidé avec l'amiral Grey que chaque vaisseau de guerre qui passerait à côté en vérifierait la base afin d'y récupérer des rapports et des lettres. Quand la lettre fut récupérée par le HMS Persian, Livingstone et ses compagnons étaient déjà repartis en Afrique centrale où ils allaient découvrir le lac Nyasa, l'actuel lac Malawi. La lettre refit surface en 1905 parmi la collection de l'amiral James Donnet, qui avait peut-être servi sur le vaisseau ayant trouvé la bouteille. Finalement, elle fut achetée chez Sotheby's par l'explorateur Quentin Keynes, un collectionneur fou. Dans les années 1950, Keynes s'était pris de passion pour le couagga, une espèce de zèbre, rayé seulement sur l'encolure et l'avant du corps, présumé en voie d'extinction. Ses recherches de par le monde ne lui ayant pas permis de découvrir un spécimen vivant, il avait tourné son attention vers la grande antilope des sables, puis vers le zèbre tacheté. Obsédé par l'histoire de la lettre du docteur Livingstone, Keynes se rendit en 1958 dans le delta du Zambèze, pour constater que l'île sur laquelle la bouteille avait été enterrée avait été emportée par la mer. Cependant, un autochtone dont le grand-père avait servi de guide à Livingstone, lui indiqua une marque sur le tronc d'un baobab d'une circonférence de près de vingt-deux mètres, sur lequel il eut la joie de découvrir, gravées, les initiales du docteur. À la mort de Keynes, sa collection qui comprenait des documents sur James Joyce, Sainte-Hélène, les éléphants, l'explorateur Richard Burton et les îles Galapagos – ainsi que sur les couaggas et les dodos – fut vendue aux enchères. La lettre, le lot 431, atteignit la somme de 15 000 livres sterling.

En 1902, l'explorateur polaire Evelyn Baldwin écrivit en norvégien et en anglais : « Il reste cinq poneys et cent cinquante chiens. Il me faudrait du foin, du poisson et trente traîneaux. Dois rentrer début août. Baldwin. » La bouteille contenant ce message ne fut récupérée qu'en 1948 par un pêcheur russe – à cette date, Baldwin était rentré chez lui sain et sauf depuis longtemps.

Le 9 septembre 1914, le soldat Thomas Hughes, âgé de vingt-six ans et originaire de Stockton-on-Tees, écrivit à sa femme Elizabeth alors qu'il quittait l'Angleterre pour rejoindre le champ de bataille en France.

Ma chère épouse,

Je t'écris ce message du bateau et je vais le lancer à la mer juste pour voir s'il te parviendra. Si c'est le cas, signe cette enveloppe en bas à droite, à l'endroit où il est marqué accusé de réception. Inscris la date et l'heure à laquelle tu l'as reçue et ajoute ton nom à l'emplacement de la signature et prends-en bien soin.

Au revoir, ma chérie, pour l'instant. Ton petit mari.

Il joignit un petit mot d'accompagnement, demandant à celui qui trouverait la lettre de la faire suivre, la glissa dans une bouteille verte de limonade au gingembre fermée par un bouchon en plastique à vis et la jeta dans la Manche. Deux jours plus tard, la deuxième division d'infanterie légère de Durham partit au feu et Hughes y trouva la mort. Son petit message prosaïque erra dans l'océan pendant quatre-vingt-cinq ans avant d'être récupéré par un pêcheur de la Tamise du nom de Steve Gowan. Intrigué par l'histoire, Gowan découvrit que bien qu'Elisabeth fût morte deux décennies plus tôt en Nouvelle-Zélande, la fille des Hughes, qui n'avait que deux ans quand la lettre avait été écrite, était toujours en vie et en état de recevoir de ses mains le message de son père.

En mai 1915, alors que coulait le *Lusitania*, le paquebot torpillé de la Cunard Line, un passager lança une bouteille à la mer avec ce message :

Je suis toujours sur le pont avec quelques personnes. L'une d'elles est un enfant. Les derniers canots de sauvetage sont partis. Nous coulons rapidement. L'orchestre continue de jouer courageusement. La fin est proche. Peut-être que ce message…

La lettre s'arrêtait brutalement sur ces mots. Peut-être que ce message… sera trouvé à temps par les sauveteurs ? Peut-être que ce message… évitera que nous tombions dans l'oubli ?

*
* *

En avril 1940, pour la première fois sans doute un évangéliste prit au sérieux la maxime de l'Ecclésiaste (II 1) : « Jette ton pain sur la face des eaux car, avec le temps, tu le retrouveras. » George Philipps originaire de Puget Sound, dans l'État de Washington, se trouvait sur la plage quand, selon ses déclarations, il vit « la mer brasser des morceaux de bois ». « Pourquoi ne pourrais-je pas diffuser l'Évangile de la même façon ? », se dit-il. En bon alcoolique, Philipps savait évidemment où dénicher de vieilles bouteilles de spiritueux. Il quitta son travail dans l'immobilier et sa société de voitures d'occasion pour devenir prédicateur à plein temps, par bouteilles interposées. Ironiquement, ce fut grâce aux objets qui avaient contenu ce qu'il considérait aujourd'hui comme un vice qu'il diffusa le message de Dieu. Il lança quarante mille bouteilles à la mer et reçut mille cinq cents réponses. Ses messages, surnommés « bombes évangéliques », voyagèrent jusqu'à la côte pacifique, l'Australie, le Mexique, Hawaii et la Nouvelle-Guinée.

En 1943, Maja Westerman quitta l'Estonie occupée par les nazis et trouva refuge sur l'îlot de Gotska Sandoen, une île si isolée qu'il n'y avait même pas de véritable ponton, ce qui obligeait les visiteurs à sauter directement du bateau sur la plage. Coupée du monde, Maja envoya une bouteille à la mer pour s'informer sur la guerre :

Cher ami, nous vivons sur une île. Nous nous sommes installés ici il y a un an. La famille du gardien de phare est très gentille… La guerre est-elle finie ? Nous attendons la paix et la fraternité.

Ce ne fut qu'en 2003 qu'un touriste suisse visitant une plage suédoise la trouva.

En 1948, Dean Bumpus de l'Institut océanographique Woods Hole, dans le Massachusetts, dirigea la première grande étude sur la circulation océanique au large de la côte Est des États-Unis, en lançant près de vingt mille bouteilles dans l'Atlantique et en s'appuyant sur les possibilités scientifiques qu'offrait le voyage de tels objets.

En 1954, A. W. Fawcett, le P.D.G. de la société Guinness Exports, basée à Liverpool, imagina la première campagne publicitaire de « lancers de bouteilles ». À cet effet, des navires de commerce jetèrent à la mer, de onze différents points de l'Atlantique, du Pacifique et de l'océan Indien, cinquante mille bouteilles spécialement scellées pour l'occasion, et contenant seulement des certificats et des brochures.

Grisé par le succès de l'opération, M. Fawcett réitéra l'aventure quelques années plus tard, à l'occasion du bicentenaire de la première brasserie Arthur Guinness à Dublin. Il organisa ainsi, à partir de trente-huit navires basés dans l'océan Atlantique, un nouveau lancer de cent cinquante mille bouteilles gravées. L'opération, commencée le 14 juillet 1959, dura six semaines.

Chaque bouteille contenait un certain nombre de documents, dont une attestation émanant « du bureau du roi Neptune ». Elles recelaient aussi une petite plaquette publicitaire qui racontait l'histoire de la marque Guinness, une étiquette couleur or avec les dates 1759 – 1959 et quelques instructions pour transformer, si on le souhaitait, la bouteille en lampe de chevet. Certaines contenaient également d'autres papiers, comme un tract pour Ovomaltine (l'un des sponsors de ce lancer) ou une note informative sur le navire qui avait participé à l'aventure. Le service de presse de Guinness concluait joyeusement : « Étant donné que les bouteilles larguées au cours de ces deux opérations continuent de réapparaître aujourd'hui, nous pouvons définitivement affirmer qu'à ce jour il s'agit de nos deux campagnes publicitaires les plus longues. »

En 1956, Martin Douglas sortit en mer avec son yacht de luxe au large de la côte de Floride. On ne le revit jamais. Deux ans plus tard, un pot de confiture s'échoua sur Avoca Beach, une plage située au nord de Sydney, en Australie. À l'intérieur se trouvaient un testament griffonné en hâte au stylo sur plusieurs chèques vierges consécutifs arrachés au chéquier de Douglas, ainsi qu'un résumé succinct de sa situation de plus en plus désespérée.

Si quelqu'un trouve ce message, qu'il le fasse suivre à ma femme, Alice Douglas, à Miami Beach, en Floride. Vous vous demandez sans doute ce qu'il m'est arrivé. J'ai été projeté à la mer à la suite d'un problème de moteur.

En 1979, le groupe pop The Police sortit son tube planétaire *Message in a Bottle*. Ils envoyaient un « SOS au monde », mais pendant un an personne ne répondit. Puis, soudain, « cent milliards de bouteilles » s'échouèrent sur la plage ; cet appel à l'aide désespéré, associé à une mélodie prenante, suscita une puissante réaction chez les millions de gens qui achetèrent l'album.

En 2002, une femme seule qui déambulait sur une plage du Kent en compagnie de ses chiens trouva une bouteille d'Evian bleue contenant un message provenant d'une autre femme solitaire.

CHAPITRE 5

Avant de me lancer sans réserve à la recherche de cet auteur inconnu, j'estimai qu'il fallait commencer par étudier les statistiques. Quelle taille mesurait exactement cette botte de foin dans laquelle j'allais chercher mon aiguille ? Étant donné que Maurice avait voyagé « longtemps entre deux eaux, entre deux lumières » et « regagné le port, près d'un rivage lointain, tout près du soleil levant », je devais retrouver un garçon mort noyé, peut-être dans une étendue d'eau comme la Manche, éclairée de phares à chaque extrémité, et plus précisément, afin de limiter les possibilités, un port situé sur la côte Est.

Peu d'enfants se noient chaque année et il me semblait logique que tous les détails les concernant soient conservés dans un dossier spécifique, rangé quelque part dans une administration. Internet, source d'information toujours utile, suggérait que l'Institut national des études démographiques

(Ined), détenait la réponse. Mais la standardiste ne me fut d'aucune aide.

– Que voulez-vous trouver ? Le nombre de garçons de treize ans morts noyés au cours des vingt dernières années ?

– Oui, répondis-je avec une légère hésitation, soudain frappée par l'inanité de ma tâche.

Durant le silence révélateur qui suivit, j'entrevis mentalement les nombreux haussements d'épaule et les roulements d'yeux que j'allais endurer. La voix de la standardiste, où ne perçait aucune émotion hormis une petite inflexion d'incrédulité, me demanda de patienter un moment. On me passa rapidement un autre service, probablement celui qu'elle aimait le moins.

Ma question provoqua le même silence décourageant, suivi de cette sentence définitive :

– Non, on ne va pas avoir ce genre d'informations.

Je compris que je ne devais pas la laisser raccrocher. C'était mon premier coup de téléphone, et si je ne passais pas outre ce refus cassant, je n'aurais peut-être jamais le courage de retenter l'expérience. Je lui expliquai en quelques mots comment mon amie avait trouvé une bouteille à la mer contenant une lettre très triste et l'envie que nous avions d'en découvrir l'auteur. Bien que visiblement peu optimiste, la femme parut intéressée à son corps défendant.

– Oh, là, là ! roucoula-t-elle d'un ton peu encourageant. Vous ne la retrouverez jamais.

Je lui donnai d'autres précisions, la mèche de cheveux, le garçon dérivant vers le soleil levant. La femme, assez jeune si j'en jugeais par sa voix, se montra, malgré elle, intriguée. Je lui racontai tout ce que je savais et l'idée du défi à relever la rendit plus chaleureuse. Elle me promit de regarder si elle pourrait trouver des informations utiles.

Trois heures plus tard, elle m'adressa un courrier électronique de deux pages et un fax de six pages qui proposaient d'autres sources de renseignements. Elle avait même surfé quelques minutes sur Internet, sur les sites de plusieurs médias afin de voir s'ils mentionnaient cette histoire, mais, comme moi, elle n'avait rien trouvé. Cependant, j'avais l'impression d'avoir un peu progressé.

Les informations officielles étaient potentiellement utiles. La femme avait consulté les statistiques pour les causes médicales de décès par noyade. Selon la dixième édition de la Classification internationale des maladies (CIM), la noyade est classée dans les maladies, et le code qui correspond à cette cause de décès est le E 984. Malheureusement, ces données ne remontaient que jusqu'en 1996. Toutefois, le nombre total de garçons qui s'étaient noyés en France entre l'âge de dix et quatorze ans durant l'année 1996 et les cinq années précédentes étaient les suivants :

1996 : 7
1995 : 3
1994 : 9
1993 : 7
1992 : 7
1991 : 8

Elle m'informait également que selon une étude publiée en 1995, neuf noyades sur dix survenaient durant les mois de juillet et d'août et que 86,1 pourcent avaient lieu dans la mer. Elle me renvoyait à un autre institut statistique qui, d'après elle, pourrait me donner de plus amples détails. En Amérique, la noyade, qui est considérée comme la quatrième cause de décès accidentel, est responsable de quatre mille morts par an, un tiers d'entre elles chez les enfants âgés de moins de quatorze ans. Le décès par noyade est la deuxième cause de mortalité pour les moins de quinze ans.

D'après mes calculs, 1 333 enfants meurent ainsi noyés chaque année, un chiffre proportionnellement beaucoup plus important que ceux que l'on m'a signalés pour la France. Il y avait là comme un léger décalage.

Je n'avais aucun élément précis pour affirmer que Maurice s'était noyé en France, ni même que le drame s'était produit durant la dernière décennie, mais je m'efforçais de ne pas penser à cela. La réponse de l'employée de l'Ined à ma demande d'information m'avait encouragée. Bien qu'elle ait jugé l'affaire impossible à résoudre, l'histoire l'avait émue. Si le cœur d'une fonctionnaire pouvait être touché au point qu'elle accepte de participer quelques heures à mon enquête, cela signifiait que ni moi ni mon amie la promeneuse de chiens, toutes deux mères sentimentales dotées d'une imagination débridée, n'étions les seules à trouver cette lettre bouleversante. L'appel téléphonique à l'Ined avait constitué la première étape de mon enquête et, bien qu'au fond je n'aie pas réellement progressé, la sympathie que m'avait témoignée sa fonctionnaire se révélait un encouragement bien utile au moment où j'étais sur le point de plonger dans un océan inconnu, peuplé de statistiques rigoureuses. L'histoire de Maurice n'était pas qu'une obsession personnelle, elle avait une résonance plus universelle ; et si la réaction de cette femme était symptomatique de celles que j'allais affronter au cours de mon enquête, alors je pouvais être convaincue que d'autres personnes accepteraient de m'aider. Bien qu'indéniablement délicate, l'affaire était en bonne voie d'être résolue.

L'institut suivant, l'Institut national de la Santé et de la Recherche médicale (Inserm) détaillait les mêmes statistiques. Cependant, il apparaissait que les chiffres de l'Ined pour les noyades de jeunes garçons – âgés de dix à treize ans – ne correspondaient qu'à ceux groupés sous le code E 984 (« causée d'une manière indéterminée ») ; en d'autres termes, il s'agissait des décès qui ne pouvaient être classés sous le code E 910 (noyade et submersion accidentelles), E 954 (suicide et tentative de suicide par submersion) ou E 964 (attentat par submersion). Le nombre total de noyades par région était en fait beaucoup plus élevé, bien qu'il restât encore bien moins important qu'en Amérique.

La fonctionnaire de l'Inserm m'envoya aimablement les chiffres de toutes les noyades, qu'elles soient le résultat d'un accident, d'un suicide ou d'un attentat, ce qui donnait un total de 7 à 51 décès par an. Elle me fournissait également les chiffres selon une répartition régionale. Le résultat se situait entre 1 et 39 décès chaque année pour chaque région de France. Aucun des chiffres de chaque graphique ne semblait concorder avec les autres, et j'étais comme engloutie sous ce flot de statistiques. Mais le message global était clair. Le nombre de décès de garçons par noyade en France chaque année était assez conséquent. Et si j'additionnais les chiffres sur les vingt dernières années, j'arrivais à un total très significatif.

Cependant, le point faible essentiel de ma méthodologie résidait dans le fait que ni l'employée de l'Ined ni celle de l'Inserm ne croyaient possible que ces statistiques me permettent de remonter jusqu'à l'identité des personnes concernées.

Je téléphonai au British Foreign Office pour essayer de comprendre comment l'administration française gérait les décès. Malheureusement, les appels étaient si bien filtrés qu'il me fut impossible de remonter plus haut que l'assistant du service des décès à l'étranger. Ce dernier fut en mesure de me fournir une liste d'entreprises de pompes funèbres spécialisées dans le rapatriement international à partir de la France. Je décidai de commencer par là.

La standardiste de l'entreprise internationale de pompes funèbres était très expansive. Elle m'expliqua que, lorsque sa société rapatriait un corps

Décès par noyade chez les garçons âgés de 10 à 14 ans

Années	E 910	E 954	E 964	E 984
79	39	0	0	9
80	39	0	0	11
81	29	0	0	17
82	25	1	0	8
83	36	1	0	5
84	28	0	0	17
85	16	0	1	19
86	11	1	0	11
87	24	0	0	9
88	11	0	0	8
89	19	1	1	8
90	14	0	1	8
91	9	0	0	8
92	9	0	0	7
93	6	0	0	7
94	12	0	0	9
95	11	0	0	3
96	13	0	0	7
97	8	0	1	4
98	6	0	1	4
99	1	0	0	6

E 910 : noyade et submersion accidentelles
E 954 : suicide et tentatives de suicide par submersion (noyade)
E 964 : attentat par submersion (noyade)
E 984 : submersion (noyade) causée d'une manière indéterminée quant à l'intention.

Décès par noyades et submersions accidentelles chez les garçons âgés de 10 à 14 ans

Régions	79	80	81	82	83	84	85	86	87	88	89	90	91	92	93	94	95	96	97	98	99
Ile-de-France	1	6	1	4	1	4	1	1	5	1	2	2	1	0	0	1	2	1	2	1	0
Champagne-Ardenne	0	1	1	0	0	0	0	0	0	0	0	0	1	0	0	0	0	2	0	0	0
Picardie	2	1	2	1	2	2	1	0	1	0	0	0	0	1	2	2	0	1	0	0	0
Haute-Normandie	1	1	0	1	3	0	0	0	0	1	0	1	0	0	0	0	0	1	0	0	0
Centre	5	3	2	0	0	2	0	0	0	1	0	0	0	1	0	0	1	1	0	1	0
Basse-Normandie	1	1	2	1	1	2	0	0	0	2	1	0	0	0	0	0	2	0	0	0	0
Bourgogne	3	1	1	2	0	1	1	1	2	2	1	1	0	0	0	0	0	0	0	0	0
Nord Pas-de-Calais	1	2	3	4	3	1	1	0	3	0	3	2	4	0	0	0	2	0	0	1	0
Lorraine	3	1	2	1	1	0	1	1	1	0	0	1	1	1	0	0	1	1	0	0	0
Alsace	5	2	0	0	2	1	1	1	0	0	0	0	0	0	0	3	0	1	1	0	0
Franche-Comté	1	2	1	0	4	1	2	0	1	0	3	0	1	0	1	0	0	0	0	0	0
Pays de Loire	5	0	1	3	2	4	1	1	0	2	0	1	0	1	1	0	0	0	2	1	0
Bretagne	5	3	3	2	3	2	2	2	1	0	1	1	0	1	1	1	1	0	0	0	0
Poitou-Charentes	0	0	1	2	2	0	0	0	4	0	1	0	0	0	0	0	1	0	1	0	0
Aquitaine	2	5	1	2	0	2	1	1	0	0	1	2	0	0	0	0	0	0	0	0	0
Midi-Pyrénées	1	0	2	0	0	0	3	0	3	0	2	1	0	1	0	0	0	0	0	0	0
Limousin	0	0	0	0	0	0	0	0	0	0	0	0	0	0	0	1	0	0	0	0	0
Rhône-Alpes	1	1	3	0	4	1	0	0	0	0	1	0	0	1	0	0	0	2	0	0	1
Auvergne	0	2	0	0	1	1	0	0	1	0	0	0	0	1	0	0	0	0	0	0	0
Languedoc Roussillon	1	6	2	2	2	1	1	2	1	1	1	0	0	0	0	0	1	1	0	0	0
Provence Alpes-Côte-d'Azur	3	1	1	0	2	2	0	0	1	0	0	0	0	0	0	2	0	1	1	0	0
Corse	0	0	0	0	0	1	0	0	0	0	0	0	0	0	0	0	0	0	0	0	0
Hors métropole	0	0	0	0	0	0	0	0	0	1	2	1	1	1	1	2	1	1	1	1	0
	39	39	29	25	36	38	16	11	24	11	19	14	9	9	6	12	11	13	8	6	1

de France, les détails de l'opération étaient gérés par la compagnie d'assurance ou par leurs homologues français. Le représentant de la principale société française, un homme direct et très pragmatique qui parlait sa langue à toute allure, me précisa patiemment que le coroner n'existait pas en France, contrairement à ce que m'avait laissé croire mon dictionnaire qui traduisait coroner tout simplement par « coroner », avec probablement un r roulé et une inflexion finale montante. Je comprenais mieux pourquoi toutes les personnes que j'avais interrogées jusqu'à présent avaient semblé totalement déconcertées en m'entendant employer ce terme. L'homme m'assura qu'à défaut de coroner, la police ou la gendarmerie établissait un rapport préalable de mort suspecte qu'il transmettait au procureur de la République de la ville ou de la région concernée. Le procureur décidait alors soit de délivrer le permis d'inhumer, soit de demander l'ouverture d'une enquête. Les dossiers du procureur n'étaient pas ouverts au public, et même les pompes funèbres n'avaient pas le droit de connaître les détails de la mort de leurs clients. D'après l'homme, le certificat de décès était ensuite conservé dans les registres de la mairie. Étant donné qu'il y avait environ trente-six mille communes, dotée chacune de sa municipalité, à travers toute la France, l'idée que je puisse imaginer retrouver la trace d'un garçon de treize ans à l'aide de son seul prénom déclencha son hilarité. Ce rire n'allait pas cesser de revenir me hanter au cours des mois d'enquête qui suivirent.

Quand, plus tard, je fis le bilan de mes appels téléphoniques de la matinée, je me rendis compte qu'à part avoir appris qu'il n'y avait pas de coroner en France, je n'avais réussi qu'à me ridiculiser.

Même s'il n'y avait pas de coroner dans le système judiciaire français, je décidai d'en contacter un à Londres afin de comprendre la procédure qui s'appliquait à la suite d'une mort survenue de l'autre côté de la Manche. Un fonctionnaire serviable m'expliqua que, ayant souvent été amené à gérer le décès de compatriotes britanniques à l'étranger, il connaissait plutôt bien la question. Après m'avoir confirmé qu'en lieu et place d'un coroner on trouvait en France un magistrat chargé de l'action publique, nommé procureur de la République, il me précisa que les Français pratiquaient beaucoup moins d'autopsies et d'enquêtes approfondies à la suite d'un accident que les Britanniques. Après un silence, il ajouta même, comme après réflexion, que les Anglais avaient peut-être l'investigation trop facile... Cependant, me dit-il, il serait ravi de me laisser consulter un dossier sur un décès survenu en France, afin que je puisse me familiariser avec les différentes étapes et relever les adresses utiles et les terminologies. Pensant que cette proposition me fournirait une excellente introduction à mon sujet et un tremplin me permettant un saut dans l'inconnu, j'acceptai de venir lui rendre visite pour discuter plus avant de l'affaire.

Les officiers du bureau du coroner – la plupart d'entre eux sont d'anciens policiers à la retraite – semblent gérer le système en faisant appel aux bons documents pour que les dossiers soient bouclés efficacement.

L'homme avec qui j'avais rendez-vous et qui m'introduisit dans une pièce assez quelconque, située en plein cœur de Londres, correspondait parfaitement à l'image qu'on se fait d'un coroner. Tandis qu'il ouvrait un immense atlas, je sortis la traduction de la lettre trouvée dans la bouteille. Le document était visiblement écrit dans un style trop fleuri à son goût, comme en témoigna son regard vitreux tandis qu'il survolait le premier paragraphe. Mais il était clairement intrigué par mon enquête. Penché sur la carte de la côte du Kent et de la Manche, il se demanda à voix haute comment une bouteille avait pu s'échouer sur une plage qui n'était pas directement située en face de la France, et qui se trouvait en outre à l'abri du principal courant de marée.

– De tous les décès dont je me suis occupé à travers le monde, dit-il, celui-là est le plus étonnant.

Habituellement, son travail consistait à évaluer les dossiers de la police et les rapports médicaux. La seule chose que je possédais était une lettre. Il n'y avait ni corps ni dispositif officiel. C'est peut-être cette absence totale d'éléments probants qui séduisait ce professionnel habitué à réunir des quantités de preuves et de faits.

L'affaire dont il s'occupait alors concernait un accident de la route qui avait eu lieu en France. Un couple qui circulait à moto avait été renversé par un chauffard sur l'autoroute. La femme avait été tuée, tandis que son mari qui avait été éjecté n'était que légèrement blessé. La version donnée par l'automobiliste qui les avait emboutis contredisait celle des témoins. Quant au pauvre mari, il n'avait rien vu puisque la voiture les avait heurtés par l'arrière. Alors que je fouillais dans le dossier, à la simple recherche d'informations utiles, je me retrouvai soudain plongée dans leur tragédie. Une belle journée d'été, la promesse des vacances, un moment d'égarement stupide chez un jeune homme qu'ils n'avaient jamais rencontré, et voilà que leurs vies avaient explosé.

En France, m'expliqua l'officier, la police remplissait un rapport sur le décès et l'envoyait au Ministère public, représenté par le procureur de la République, qui décidait sur la base des éléments fournis de réclamer ou non l'ouverture d'une enquête ou de délivrer un certificat de décès qui serait envoyé au bureau du maire. Cela confirmait ce que m'avait expliqué l'entreprise de pompes funèbres.

Mais j'ignorais si on avait jugé utile de procéder à une enquête concernant la mort de Maurice.

CHAPITRE 6

Je n'avais jamais eu l'occasion de faire appel aux services d'un détective privé, même si j'avais souvent aperçu des publicités dans les journaux locaux. J'avais même songé un temps à orienter ma carrière dans cette voie, ce qui n'aurait été au fond qu'une sorte d'évolution naturelle par rapport aux recherches académiques que j'effectuais pour gagner ma vie. Dans le passé, une société américaine m'avait demandé d'enquêter sur l'un de ses employés basé à Londres, et j'avais rapidement découvert que non seulement ce dernier n'avait jamais réalisé les films et les programmes de télévision qu'il mentionnait sur son CV, mais aussi qu'il n'était pas, comme il le déclarait, directeur du musée d'Histoire naturelle. En outre, suite à deux procédures judiciaires, il était au bord de la faillite. Il était également bigame, après un mariage à Richmond dans le Surrey et un autre en Californie. Depuis ce jour, je m'étais toujours dit que si je me trouvais à court de travail, je pourrais probablement me lancer dans des enquêtes et des filatures privées.

Mais pour l'heure, j'avais besoin d'un coup de main. Dans les romans, les privés entretiennent toujours de bonnes relations avec la police afin d'avoir accès à leurs banques de données nationales. Si je pouvais m'adjoindre le concours d'un détective, j'éviterais sans doute de perdre du temps... D'un seul coup de fil, il organiserait tout. Peut-être les choses ne seraient-elles pas vraiment rapides, puisqu'il y avait dans cette affaire un prolongement international ; peut-être téléphonerait-il à son homme à Paris ou à un contact à Interpol ? Au fond de moi, je savais que les choses ne seraient pas aussi simples que ça, mais il y avait une chance que cette démarche me permette de prendre un raccourci. De toute façon, j'avais toujours eu envie de rencontrer un détective privé.

La publicité annonçait : « Enquêtes privées, matrimoniales, commerciales et civiles. Discrétion et confidentialité assurées ».

La personne qui répondit à mon coup de fil se montra d'abord dédaigneuse, puis intriguée. C'était une réaction à laquelle je commençais à m'habituer. Ma réticence à faxer la lettre au détective augmenta sa curiosité. Finalement, rendez-vous fut pris. Il m'assura que sa consultation serait gratuite ; il s'engageait à travailler *pro bono*, (« pour le bien public ») et par pure « curiosité intellectuelle ».

De toute évidence, le métier de détective devait connaître des périodes creuses et l'enquête dans laquelle je m'étais lancée avait touché une corde sensible, là comme ailleurs.

L'agence était idéalement située entre la cité HLM et la prison de Wormwood Scrubs, et les quartiers aisés et branchés de Notting Hill et Portobello Road. J'avais conversé au téléphone avec le jeune associé, mais à mon arrivée je découvris que le détective en chef avait décidé de s'occuper de l'affaire. Son bureau, splendide, était un temple à la mémoire de Raymond Chandler et Dashiell Hammett. Il contenait une grande table en bois, un vieux coffre-fort volumineux posé dans un coin, un énorme fauteuil en cuir à oreillettes de couleur bordeaux. On y apercevait aussi une lettre de remerciements, encadrée, dotée d'une loupe ancienne suspendue au-dessus des phrases les plus importantes du texte, un grand aquarium dans lequel tournaient deux poissons éclatants de santé, une carte de Londres détaillée et un certificat d'appartenance à l'Association internationale des détectives. Seul l'ordinateur portable paraissait anachronique. Le détective me fit signe de prendre place dans le fauteuil. Lorsque je m'y laissai tomber, je m'aperçus qu'il était si profond qu'il me serait impossible d'atteindre le dossier sans m'affaisser maladroitement ou d'étendre mes jambes devant moi. Je me perchai sur le bord, en regrettant de ne pas avoir prévu une jupe étroite, une petite voilette noire, des talons hauts et du rouge à lèvres écarlate.

Un peu mal à l'aise, je fis remarquer que le fauteuil semblait approprié à la situation. L'enquêteur sourit :

– Il en a vu des larmes, celui-là !

J'étais ravie. Il avait une petite quarantaine d'années, des cheveux blonds, et portait une veste et un pantalon noirs et des chaussures gris blanc assez étonnantes – élégantes mais légèrement éculées. Il avait débuté dans le métier vingt-six ans plus tôt, œuvrant d'abord dans une société spécialisée dans les impayés avant de se consacrer exclusivement à l'identification de patrimoine. Pendant des années, il avait fourni des informations aux agences de recouvrement avant de monter sa propre affaire. Il prit la traduction anglaise de la lettre et l'étudia soigneusement tout en dévorant un immense bol de muesli. J'étais sous le charme. Il m'expliqua que cette affaire était très différente des cas qu'il traitait habituellement. Durant notre entretien, un client potentiel téléphona en demandant une filature pour son ex-petite amie. « Voit-elle quelqu'un d'autre ? demanda le détective. Pourquoi a-t-elle mis un terme à votre relation ? »

Ce dossier était visiblement pour lui une mission alimentaire et il le gérait avec une efficacité empreinte de lassitude.

Il s'imprégna longuement de la lettre, m'interrogeant au fur et à mesure sur des nuances de traduction. Face aux contradictions qu'il mettait en lumière, dans ce qui n'était après tout qu'un premier jet, je décidai intérieurement de téléphoner à une amie écrivain en France afin d'en vérifier chaque syllabe.

Il ne montra aucune émotion et n'émit aucun commentaire personnel. La lettre était une sorte de rébus dans lequel il fallait chercher des indices.

Rien de plus. Quand je l'avais lue pour la première fois, je n'avais remarqué comme éléments concrets que le prénom de l'enfant et son âge. Mais tout en mangeant ses céréales, le détective mit au jour de nouvelles pistes. Son petit déjeuner se termina sur une poignée de pilules, le tout avalé avec une bonne gorgée d'eau. Maurice était le premier fils, fit-il remarquer. S'était-il perdu dans la tempête ? « S'est dérobé à la vie », disait la phrase. Littéralement, cela voulait dire « s'est dévêtu de la vie ». L'avait-il laissée glisser de ses épaules comme on le ferait d'un peignoir ? S'était-il drogué ? S'était-il suicidé ? Avait-il simplement sous-estimé ses capacités de nageur ou de navigateur ? Ici, le texte disait littéralement : « la colère qu'a été ta disparition ». La mère et le fils s'étaient-ils violemment disputés avant qu'il ne parte nager au-devant de la mort ? Son corps n'avait-il pas été retrouvé immédiatement ? Il avait dérivé vers le large tout près du soleil levant, donc en direction de l'est. Avais-je contacté la police du Kent où l'on avait trouvé la bouteille ? Un test ESDA apporterait peut-être de nouvelles informations. Le détective m'expliqua qu'il s'agissait d'une technique spéciale baptisée « détection électrostatique » qui permet de saisir les accidents en creux et en relief d'un document. En un mot, une feuille d'un bloc de papier peut révéler ce qui a été écrit sur les feuilles précédemment arrachées du même bloc. Ainsi, si par miracle, la mère avait noté son nom et son adresse sur l'une des pages, le procédé ESDA pourrait les révéler.

L'entrevue amena de nombreuses nouvelles questions, mais aucune réponse. Bien que l'enquêteur fût visiblement intrigué par cette affaire, il n'était pas démangé par la curiosité au point de se proposer lui-même de répondre à titre gracieux à l'une de ces questions. À en croire le ton de sa voix, il ne donnait pas cher du résultat de cette enquête. Aussi, plutôt que de louer ses services, je décidai de suivre ses suggestions.

La femme qui répondit à mon appel au commissariat du Kent se montra aimable et serviable. Néanmoins, sans nom ni date, la police ne pouvait m'offrir que des renseignements limités. On me balada de poste en poste où, à chaque fois, je devais raconter à nouveau mon histoire aux agents de service les plus anciens dans la maison.

Tous se montrèrent également polis et intrigués, mais aucun d'eux ne se souvenait du corps d'un jeune garçon de treize ans s'échouant sur leur plage. À ma grande inquiétude, je me rendais compte que je faisais perdre son temps à la police.

Le détective privé m'avait aussi donné le contact téléphonique d'une société où je pourrais faire pratiquer un test ESDA, sur la feuille qui avait servi à écrire la lettre. Il avait dû se rendre compte que, n'ayant pas d'argent pour financer ses services d'enquêteur, cela ne lui coûterait rien de me donner quelques renseignements d'ordre général. Il continuerait à payer ses factures grâce à des filatures ennuyeuses et routinières d'amants infidèles, tandis que je poursuivrais, moi, cette longue enquête, sans garantie de résultat – chose qu'il avait probablement devinée depuis le début.

Bien qu'il fût particulièrement riche d'indices, je n'avais pas encore travaillé sur l'un des éléments concrets de l'affaire : la bouteille. Son origine, sa date de fabrication, son choix même et son symbole – toutes ces informations pouvaient se révéler utiles. Je décidai de téléphoner à la société d'eau minérale Evian.

Il ne me fallut pas longtemps pour découvrir sur Internet qu'Evian appartenait au groupe agroalimentaire Danone. Je contactai d'abord leur siège britannique qui promit de me rappeler quand ils auraient trouvé des informations sur la bouteille. Ne voyant rien venir, je finis par joindre le service clientèle d'Evian ouvert vingt-quatre heures sur vingt-quatre. Une certaine Delphine me répondit, mais je m'aperçus rapidement qu'elle était très réticente – et c'était compréhensible – à l'idée d'écouter ma petite histoire. Elle n'avait, de toute évidence, pas été formée pour répondre aux questions que je lui posais, et personnellement cela ne m'intéressait pas du tout de savoir durant combien de temps leur eau avait été filtrée « à travers les couches de sable glaciaires pures au cœur des Alpes ». (C'était un processus long d'une quinzaine d'années.) Tout d'abord peu encline à répondre à mes questions, elle finit, devant mon insistance à lui vanter la beauté de la bouteille, par reconnaître que ce modèle avait été fabriqué pour la première fois, en édition limitée à l'occasion des Jeux olympiques d'Albertville, en 1992. Son succès avait été tel qu'elle avait fait l'objet d'un deuxième lancement en 1999 sous le nom de Bouteille du Millenium. Selon le site Internet de la société, « cette forme pure et parfaite était l'exact symbole de l'eau ». Depuis le passage à l'an 2000, à la demande de la clientèle, on en fabriquait de nouvelles chaque année. Quatre cent mille récipients de ce type étaient en circulation. Je soulignai le fait que la bouteille en question portait les chiffres 20-02 gravés sur le dessus. N'était-ce pas un élément qui permettait de rétrécir le champ des investigations ? Elle concéda ce point, bien qu'avec un peu de réticence.

Non, je n'avais pas le droit d'apporter la bouteille afin de demander de plus amples informations. Non, les visiteurs n'étaient pas autorisés dans l'usine Evian. Je lui fis remarquer que je ne portais pas atteinte à la marque ; bien au contraire, puisque quelqu'un avait considéré que sa bouteille était le vecteur idéal pour renfermer la lettre la plus importante de sa vie. Finalement, elle accepta de transmettre mon message à sa hiérarchie et promit que quelqu'un prendrait contact avec moi, d'ici peu.

La directrice des Relations extérieures de Danone me rappela et laissa un message sur mon répondeur.

– Nous ne sommes pas particulièrement intéressés par votre petite histoire de bouteille à la mer découverte sur une plage, déclarait-elle d'une voix empreinte de la plus grande supériorité et d'un dédain manifeste, mais si vous voulez me parler, vous pouvez me joindre au…

Là-dessus, elle débitait un numéro plein de 80 et de 90 inversés dans le français le plus rapide possible, ce qui m'obligea à réécouter le message à dix-huit reprises afin de le décrypter : 85, 91, 52, 97, 26, 85, 91, 52, 97, 26. Finalement, je me rendis compte qu'elle avait répété son numéro deux fois d'affilée, sans reprendre sa respiration. Je grinçai des dents. Manifestement, si je voulais récolter des indices essentiels sur la bouteille, j'étais condamnée à la persuader.

*
* *

Au cours d'un cocktail donné par de riches banquiers londoniens, auquel mon compagnon et moi étions conviés parce que nos fils respectifs étaient amis, je parlai de mon enquête à une dame très sophistiquée.

– Quelle idée merveilleuse ! s'exclama-t-elle d'emblée.

C'était comme si j'avais déclaré mon intention de me lancer dans une œuvre de charité ou un travail de broderie.

– C'est vraiment très simple. Mon époux qui est agent de change a accès à une merveilleuse base de données qui regroupe les informations du monde entier.

De toute évidence, elle croyait dur comme fer que son mari pouvait résoudre tous les problèmes du monde financier rien qu'en tapotant sur son clavier, bien avant l'ouverture quotidienne du FTSE 100 [1].

– Vous n'avez qu'à entrer vos indices et il vous trouvera les réponses en un rien de temps.

La froide assurance qu'elle témoignait vis-à-vis de la supériorité de son mari – ou plutôt de la supériorité de sa technologie – sur ma méthode d'enquête plus prosaïque m'irrita de prime abord. Puis je décidai de m'en montrer plutôt ravie. Si je profitais de sa proposition, mes recherches seraient bientôt terminées. Je pourrais enfin tirer un trait sur cette histoire qui devenait de plus en plus ridicule, et reprendre le cours normal de mon existence. Les multiples questions qui m'obsédaient – telles d'affreuses piqûres de moustiques qu'on a envie de gratter –, et ce même alors que j'essayais de m'occuper à autre chose, trouveraient une réponse apaisante. J'apprendrais enfin qui était la mère et comment son fils était mort. Je fournis à la femme du banquier les quelques détails en ma possession : le garçon s'appelait Maurice, il avait treize ans et s'était noyé au début de l'été.

Son sourire éclatant se figea quelque peu en réalisant à quel point mes renseignements étaient succincts, mais elle les nota courageusement dans

1. Indice boursier britannique, à l'image de notre CAC 40, littéralement *Financial Times Stock Exchange Index*.

un minuscule carnet à couverture de nacre afin de les transmettre à son mari, à un moment plus approprié.

Deux semaines plus tard, elle m'envoya un e-mail :

Malheureusement, les recherches entreprises par mon mari n'ont rien donné d'intelligible. Il lui faudrait plus de détails pour commencer.

En dépit de ma déception, je me sentis soulagée d'apprendre qu'il ne suffisait pas de se connecter à Internet pour déterrer n'importe quel secret. Les moteurs de recherche mondiaux, leurs bases de données commerciales, financières et juridiques n'étaient visiblement pas capables de régurgiter une réponse en une fraction de seconde injurieuse.

Je passai plusieurs jours à rédiger un mail suffisamment éloquent pour convaincre une porte-parole d'Evian de me parler. Finalement, je le lui envoyai le vendredi soir, en espérant qu'elle le lirait à son arrivée le lundi matin et le jugerait irrésistible. Mais en voyant à la télévision ce week-end-là les reportages sur la rencontre du G8 à Evian et les militants anti-mondialisation qui se battaient dans les rues des villes voisines, je fus saisie d'une crainte. Même si cette dame était parvenue à gagner tranquillement son bureau, elle risquait de n'éprouver aucune sympathie pour une Anglo-Saxonne qui lui faisait perdre son temps.

À mon grand étonnement, elle téléphona à la première heure le lundi et me laissa un message en anglais. Manifestement, elle le parlait parfaitement. J'étais sur des charbons ardents. Je la rappelai aussitôt. La conversation s'orienta longuement sur le stylisme des bouteilles. Celle qui s'était échouée sur la plage, « le Millenium Evian 2002 » avait été mise en production à partir d'octobre 2001. Mon amie, la promeneuse de chiens, l'avait trouvée en février 2002, soit environ quatre mois plus tard. Je tenais enfin un fait indiscutable auquel me raccrocher dans cet océan de conjectures et de suppositions. La bouteille avait été lancée à la mer entre octobre 2001 et le 17 février 2002.

Ce jour-là correspondait probablement au chagrin de la mère, qui alla jusqu'à cette mer inamicale où « tanguent les esprits tourmentés ». Le temps était peut-être gris et agité, avec un soupçon de printemps dans l'air. Un léger reflet dans le ciel, qui faisait écho à cette phrase de la lettre – « Je vais mieux, maintenant, mon amour » – et le réconfort apporté par l'amitié à laquelle elle faisait allusion dans les dernières lignes.

C'est alors que la femme de chez Evian me fournit sans le savoir une autre information concrète. Étant donné l'entente qui régnait entre nous, j'avais décidé de lui lire les premières phrases de la lettre. Elle m'interrompit soudain :

– Vous savez, on dirait le film de Kevin Costner, *Une bouteille à la mer*.

Sans trop oser la contredire – après tout, sa coopération était importante –, je lui fis néanmoins remarquer que l'histoire dont je lui parlais était une véritable tragédie alors que l'autre n'était qu'une romance hollywoodienne. Elle insista en me disant que le film y ressemblait beaucoup et commença à m'en raconter l'intrigue ; cette dernière paraissait très compliquée, avec autant de morts que dans *Hamlet*. À contrecœur, je me déclarai vaincue et acceptai de voir ce mélo. En échange, elle m'autorisa à venir visiter l'usine si je le souhaitais – proposition qu'elle retirerait par la suite. En attendant, elle prit note de m'adresser un dossier de presse qui, m'assura-t-elle, ne contiendrait absolument rien qui me soit utile.

Je savais maintenant que la bouteille avait été fabriquée seulement quelques mois avant d'avoir été découverte. Elle n'avait donc pas dérivé pendant des années en direction du Kent. Je connaissais le nombre de garçons décédés au cours de la dernière décennie, mais j'étais manifestement incapable de retrouver une identité à l'aide des données statistiques nationales. Je savais que la police, les services du coroner et le Foreign Office n'étaient pas en mesure de faire progresser l'enquête. Et si j'étais mieux renseignée sur l'historique de cet étrange moyen de communication – les « bouteilles à la mer » –, j'ignorais toujours l'identité de la mère et de son fils, et pourquoi et comment il était mort.

Mon amie, la promeneuse de chiens, avait l'air surprise que je continue à me préoccuper de cette histoire. À vrai dire, j'étais littéralement « accro » et partagée entre la curiosité pure, l'empathie et la frustration devant le peu de succès que j'avais obtenu jusqu'à présent.

Il me restait encore beaucoup de pistes à explorer avant de m'avouer vaincue.

CHAPITRE 7

Je louai le film *Une bouteille à la mer* au vidéoclub de mon quartier. Je connaissais son existence et avais presque failli l'emprunter quelques semaines plus tôt, mais à cause de l'affiche sirupeuse qui ornait la jaquette j'avais conclu que je ne me sentais pas capable d'affronter les peines de cœur de Kevin Costner. Néanmoins, ayant promis à ma correspondante de chez Evian de le visionner, je me forçai à m'exécuter en espérant dénicher quelques informations utiles.

Alors qu'elle fait son jogging sur la plage, une journaliste divorcée, Theresa (jouée par Robin Wright Penn), trébuche sur une bouteille contenant un message. Elle apporte cette lettre au journal où elle travaille, et son rédacteur en chef (Robbie Coltrane) la publie sans l'en informer. Le service Enquête du journal explique à Theresa que la machine à écrire qui a servi à taper ce courrier est probablement vieille de cinq ans et que le bouchon n'est resté dans l'eau que deux ans. Après la publication de la lettre, deux autres messages rédigés sur le même papier arrivent à la rédaction. Theresa lit à voix haute la troisième missive :

À tous les navires au large, à tous les ports d'attache, à ma famille, à tous les amis et à tous les inconnus…

J'étais étendue paresseusement, un verre de vin à la main, secrètement ravie de jouir sans culpabilité de la possibilité de regarder un navet dans l'intérêt de mon enquête, quand la phrase me frappa de plein fouet comme une vague glacée. Mon verre se renversa tandis que je manquai tomber de mon fauteuil.

Ceci est un message, une prière. Le message, c'est que mes voyages m'ont enseigné une grande vérité. J'avais déjà ce que tout le monde recherche et que peu arrivent à trouver : la seule personne au monde que je suis née pour aimer toute ma vie… La prière, c'est que tout le monde, partout, puisse connaître un tel amour afin qu'il les guérisse. Si ma prière est exaucée, elle effacera toutes culpabilités, tous regrets et apaisera toutes colères. S'il vous plaît, mon Dieu. Amen.

D'une manière ou d'une autre, Hollywood s'était procuré ma lettre. Devant cet outrage, j'étais scandalisée, horrifiée à l'idée qu'on ait pu en plagier les premières lignes, tout en ne pouvant me défendre d'un sentiment de triomphe en constatant que je venais de localiser au moins une partie de son origine.

Je rembobinai à plusieurs reprises la bande-vidéo, en relevai les mots exacts avant de les comparer aussitôt avec ceux de ma bouteille à la mer. Au moment où je venais de découvrir grâce à Evian que la lettre n'était restée dans l'eau que quatre mois au maximum, voilà que je progressais d'un bond dans la compréhension de son auteur. Je savais désormais avec certitude que cette femme avait vu ce film et que ce dernier avait eu sur elle un impact puissant. D'un autre côté, cela dépréciait légèrement mon enquête. Les premières lignes de la lettre n'étaient pas inédites, même si la traduction en français puis à nouveau en anglais y avait introduit quelques petites différences. Et mes recherches ne l'étaient pas non plus. Je ne faisais que récréer le cliché d'un best-seller et de son adaptation cinématographique.

Aidée par le service enquête de son journal, Theresa parvient en à peine deux minutes à retrouver l'origine du papier sur lequel la lettre a été écrite. Si seulement l'auteur que je cherchais avait fourni un indice sur l'endroit où elle se trouvait. Si seulement je pouvais avoir accès à un « service d'enquête » aussi efficace ! L'autre différence essentielle entre ma « véritable » lettre et celle du film, c'est qu'il s'agit d'un message d'amour à un fils et pas à un fiancé. Et que l'auteur de ma lettre existe. J'en suis sûre. À l'exception du premier paragraphe, et de quelques lignes à la fin qui ont été empruntées au film, elle en est l'auteur. Je le crois.

Je visionnai la suite de l'histoire dans un état d'esprit fébrile, mais confus. Theresa, la journaliste, se rend à

Outer Banks en Caroline du Nord où elle rencontre Kevin Costner. Inévitablement, ils tombent amoureux l'un de l'autre. Mais, craignant sa réaction, Theresa ne parvient pas à lui avouer la vérité sur les raisons qui l'ont conduite jusqu'à lui. Comme on s'en doute, Costner est confronté à la déception en découvrant dans le tiroir de la table de chevet de Theresa les lettres qu'il a jetées à la mer après la mort de sa femme, deux ans plus tôt. Theresa avait refusé le dilemme éthique qui se pose quand on découvre une bouteille à la mer, qu'on en retrouve l'expéditeur, qu'on tombe amoureuse de lui et que l'on couche avec lui. J'ai de la sympathie pour les deux premiers éléments de son équation. Je justifie cela en me disant que la mère – tout comme Costner dans le film – a adressé sa lettre « À tous les navires au large, à tous les ports d'attache, à sa (ma) famille, à tous les amis et à tous les inconnus ».

Jeter une bouteille à la mer invite inévitablement tous les inconnus à la ramasser et à lire le message qu'elle contient. Par définition, une lettre lancée dans les vagues et adressée au monde entier ne peut plus être considérée comme un objet intime.

Sans savoir comment, je pense que cette mère inconnue désirait que l'on connaisse l'amour qu'elle portait à son fils, qu'on sache qu'il était mort et à quel point elle était désespérée. Là où l'héroïne du film a commis une erreur, c'est de tromper Costner en ne lui parlant pas des lettres dès le départ, puis de s'impliquer émotionnellement et de craindre sa réaction. Je crois que je ne pourrais pas mentir à l'auteur de ma lettre si jamais je la retrouvais.

Costner s'enfuit de l'appartement de Theresa sous une pluie battante tandis qu'elle le poursuit avec un flot d'excuses et de justifications. Et pendant qu'ils se disputent âprement sous un déluge d'eau, on comprend que Costner n'a écrit que deux lettres ; d'où vient donc la troisième trouvée par la journaliste ? En réalité, ce courrier – dont la mère inconnue avait subtilisé un paragraphe – n'a pas été rédigé par Costner, mais par sa propre épouse. Mourante, on la voit se lever de son lit d'agonie, taper cette lettre sur la machine, puis trottiner jusqu'aux falaises dans sa chemise de nuit blanche gonflée par les rafales de vent, et jeter la bouteille dans la mer, avant de retomber inconsciente dans les bras de son mari.

Croyez-moi, il faut vraiment être dans l'ambiance pour ne pas trouver ça tarte !

Costner adore toujours sa femme et ne parvient pas à s'autoriser à aimer Theresa ; mais son père, joué par Paul Newman, essaie de le convaincre de choisir entre le passé et l'avenir.

Costner écrit alors une autre lettre et la glisse dans la poche de son ciré. Mais avant d'avoir pu l'envoyer, il se noie en sauvant héroïquement une famille dont le yacht est en train de couler. Heureusement, il a pensé à ôter son imperméable avant de se jeter à l'eau. Ainsi, on retrouve la dernière lettre qu'il a écrite et on l'envoie à son père et à Theresa. Le film s'achève sur l'image de Theresa marchant seule sur la plage tandis qu'elle déclame en voix off : « Si certaines vies forment un cercle parfait, d'autres prennent des contours que nous ne pouvons ni prévoir ni comprendre. Le deuil a fait partie de mon voyage, mais cela m'a permis de voir ce qui est précieux. Comme me l'a enseigné un amour qui m'emplit de gratitude. »

L'auteur de ma lettre avait également subtilisé ces derniers mots.

Elle avait dû voir ce film et en être bouleversée. Il était sorti en 1999. La précision de ses citations prouvait qu'elle avait fait des efforts pour recopier ces lignes. Soit elle s'était repassé la vidéo ou le DVD à d'innombrables reprises, soit elle avait regardé le film tellement de fois qu'elle le connaissait par cœur. Quelle que soit l'hypothèse, il était étrangement émouvant de constater que cette romance à l'eau de rose, tirée par les cheveux, avait eu autant d'impact sur cette femme solitaire.

Toute cette histoire n'était-elle qu'un canular ? Non, car je pense qu'un plaisantin aurait fait en sorte de pouvoir juger de la réussite de sa blague ; en d'autres termes, il aurait donné son adresse. De façon plus décisive, j'estime que les émotions contenues dans cette lettre sont trop puissantes, trop authentiques, et que le sujet est trop sinistre, pour que ce soit le fait d'un farceur.

Cette femme connaissait-elle également le film *Seul au monde (Cast Away)*, dans lequel le personnage de Chuck Nolan (*no land*)[1], joué par Tom Hanks,

1. Il s'agit ici d'un jeu de mots intraduisible, entre le nom du personnage, Nolan, et les mots *no land* qui signifient « sans terre » en anglais.

découvre progressivement qu'on « ne sait jamais ce que la marée va apporter ». Ou cet autre long-métrage de Kevin Costner, *Waterworld*, qui se déroule sur « une vaste sphère, condamnée à court terme, dérivant jusqu'à l'infini ». Étant donné la grande connaissance qu'elle avait du dernier film de Costner, c'est très probable. Cette femme avait-elle ruminé la mort de son fils jusqu'à ce que ce film lui donne l'envie d'écrire sa lettre et de la confier aux vagues ? Ou l'idée l'avait-elle frappée immédiatement en le visionnant ?

Une bouteille à la mer ne se termine pas sur un *happy end* conventionnel. Le film s'achève dans le chagrin, mais également dans une certaine acceptation de la mort et dans le pardon des erreurs passées. L'héroïne est seule sur la plage, à la fois au début et à la fin, mais entre les deux elle a connu la passion. C'est une façon de justifier l'expression rebattue : « Mieux vaut avoir aimé et perdre cet amour que ne pas avoir aimé du tout. » On la voit s'éloigner dans le soleil couchant, seule mais plus du tout solitaire.

Les larmes coulaient sur mes joues, bien malgré moi. Ce n'était pas tant le destin de Theresa qui me bouleversait, mais la pensée de ce qu'avait dû souffrir et ressentir cette mère en regardant le film. En entendant les extraits de la lettre, j'avais été consternée que le personnage poétique créé par mon imagination, cette mère qui avait raconté son deuil avec tant de lyrisme et de douleur, se transforme soudain en une fan de bluette hollywoodienne.

Était-il possible que cette lettre fût l'invention d'une femme dotée d'un extraordinaire sens de l'humour et du drame ? Je réalisai alors que je croyais toujours à l'authenticité de ce message. J'étais convaincue qu'elle parlait d'une tragédie qui avait eu lieu, et que l'emprunt qu'elle avait fait à quelques phrases du film n'enlevait pas de valeur à sa démarche. Cela renforçait plutôt l'arrière-plan culturel que nous avions en commun. C'était peut-être une Française au style fleuri, au passé tragique, et qui aimait regarder des films romantiques hollywoodiens, comme nous toutes.

Les attractions, les fascinations sont dans la mer et sur le rivage ! Comme on s'attarde sur leur simplicité, sur leur vacuité même ! Qu'est-ce qui en nous est ainsi soulevé par ces directions et ces détournements ? Cette immensité de vagues et de grève gris blanc, de sel, monotone, inanimé – une telle absence absolue d'œuvres d'art, de livres, de parole, d'élégance – si indiciblement réconfortante, même ce jour d'hiver – sombre et cependant d'apparence si délicate, si spirituelle – d'une émotion saisissante, de profondeurs impalpables, plus subtil que toutes les peintures, les musiques que j'ai jamais lus, vus, entendus. (Cependant, laissez-moi être honnête, peut-être est-ce parce que j'ai lu ces poèmes et entendu cette musique.)

Walt Whitman, *Un jour d'hiver sur la plage (1882)*

Ou peut-être est-ce parce que j'ai vu ce film.

CHAPITRE 8

Jusqu'à présent, j'avais mené mon enquête en Angleterre, soit par l'intermédiaire du téléphone, soit en rencontrant des gens comme le coroner ou le détective privé. Il était évident que j'allais devoir me rendre en France pour la poursuivre. Les choses commençaient à prendre un tour plus sérieux.

Je décidai de concentrer mes premières recherches sur la parution éventuelle de l'avis de décès de Maurice dans la presse locale qui couvrait la côte nord française.

La mort par noyade d'un garçon de treize ans était de nature à avoir donné lieu à un petit article ou à une notice nécrologique. À l'exemple des rubriques de naissances, de mariages, ou de décès qu'on voyait dans le *Times*, les gens étaient prêts à payer pour donner des détails sur la disparition d'êtres chers. La mort d'un enfant à ce point aimé pouvait fort bien avoir mérité un de ces faire-part bordés de noir, fréquents dans la plupart des pays européens, même s'ils n'existent pratiquement pas au Royaume-Uni.

Selon plusieurs bibliothécaires et archivistes que j'avais consultés, le meilleur moyen de trouver ces faire-part était de me rendre à la Bibliothèque nationale de France, située à Paris. J'y trouverais tous les journaux et magazines régionaux, ce qui me permettrait de circonscrire mes recherches facilement.

Nous étions en août 2003 et l'Europe subissait l'un de ses étés les plus caniculaires. À travers la France, les personnes âgées mouraient chez elles. Quelque temps plus tard, la presse française irait jusqu'à blâmer la jeune génération qui avait abandonné ses anciens pour passer l'été au bord de la mer. Durant les deux premières semaines du mois, on enregistra quinze mille décès supplémentaires par rapport au taux de mortalité habituel. Paris était désert, torride et il y régnait une atmosphère étrange. Elle ajoutait au sentiment qui m'habitait : maintenant que j'avais quitté mon pays, mon enquête entrait dans une phase plus significative.

La bibliothèque, l'un des « grands projets » de François Mitterrand, est située dans le XIIIe arrondissement, un quartier où l'on convertit ou détruit les entrepôts abandonnés. Elle se dresse au milieu d'une immense esplanade aussi cuisante qu'un gril, couverte de bois d'ipê du Brésil, dur et imputrescible. Il n'y a ni ombre ni endroit pour se mettre à couvert à l'approche du bâtiment – les quelques buissons ou arbres qui encadrent l'esplanade sont enchâssés dans des cerceaux de métal afin d'éviter que les oiseaux y construisent des nids qui détruiraient les lignes architecturales. Selon l'une des brochures de la bibliothèque, c'est son « vide » qui retient l'attention. Effectivement, cette vaste étendue déserte qui entoure la BnF est impressionnante par sa stérilité. Un insecte tentant de traverser l'esplanade y aurait grillé en quelques secondes. On m'expliqua plus tard que l'été était néanmoins la meilleure saison pour se rendre à la bibliothèque, car les jours de pluie la plate-forme devient mortellement glissante, et en hiver l'immense espace entre les tours se transforme en un corridor venteux et lugubre. Des pancartes de signalisation, avec des pictogrammes de silhouettes en train de tomber, mettent en garde contre le danger potentiel des voies d'accès, des passerelles et des escalators.

Il y a quatre tours en verre censées représenter quatre livres ouverts, reliant le ciel et la terre. L'architecte Dominique Perrault les a vues comme des silos « dont les grains seraient les livres appelés à rejoindre les lecteurs ». Elles portent des noms évocateurs – le Temps, les Lois, les Lettres et les Nombres. Et l'on peut aussi trouver une collection de documents érotiques, interdite aux moins de seize ans, dénommée l'Enfer. Au départ, l'architecte désirait que les tours soient en verre photochromatique ; mais par manque de budget, et pour protéger les livres de la lumière on y a ajouté des volets intérieurs en bois. Le résultat donne l'impression d'un immeuble de bureaux abandonné.

Nichée au cœur de l'esplanade, cernée par les tours qui se dressent à chaque extrémité comme les pattes d'un chien mort, se trouve une sorte de gouffre abritant une petite forêt. Vingt pins argentés adultes pesant douze tonnes chacun ont été déterrés en forêt normande pour créer cet « écrin de verdure » que les lecteurs peuvent apercevoir des salles de lecture avoisinantes en rez-de-jardin, sans pouvoir les toucher. À cause de leur enracinement délicat, ils sont maintenus par des haubans en métal.

Avec son esplanade en bois, ses jeunes arbres encagés à l'extérieur, ses troncs transplantés et enchaînés au cœur de cette minuscule forêt, l'endroit suggère une tentative de domination parfaite de la nature par l'homme. Mais la surface traître et glissante du parvis humide, les morsures du vent en hiver, l'absence d'ombre face à la chaleur torride et la nuisance des rayons du soleil à travers les tours en verre, l'été, sont peut-être les moyens qu'a trouvés Mère Nature pour se venger.

Des portes en acier d'une taille démesurée veillent sur un long escalator qui descend au cœur d'un bunker tapissé de toiles d'araignées en acier, qui évoque le film *Terminator*. Tout semblait conçu pour donner l'impression d'une coupure totale avec le monde extérieur. Cela paraissait approprié à ma mission. Après tout, j'avais quitté ma famille pour retrouver, au cœur de cette étrange bibliothèque aux allures de mausolée, la trace d'un enfant mort.

Je décidai de commencer mes investigations par le bureau des renseignements bibliographiques. Selon les conseils encourageants de la brochure d'accueil, « cette salle [était] la plus indiquée pour une première orientation à l'intérieur de la bibliothèque, pour y commencer ses recherches – ou pour décider de laisser tomber ».

J'expliquai en français à une bibliothécaire à la mine renfrognée que j'étais à la recherche d'informations dans la presse locale sur un garçon qui s'était noyé. Quand je mentionnai la lettre, elle eut une moue dubitative. Sur quoi je sortis une copie de mon sac et la lui tendis. Elle la parcourut en émettant des claquements de langue désapprobateurs et en secouant la tête. Finalement, elle me déclara que si je n'avais pas au préalable vérifié les calendriers des marées, ni effectué de rapport psychiatrique sur le sujet, je perdais mon temps. Au terme d'une discussion de quarante-cinq minutes, elle me demanda brutalement :

– Parlez-vous français ?

Je la dévisageai, l'air outré. Dans quelle langue croyait-elle que nous venions de converser ?

– Pour une francophone, cette lettre signifie bien davantage, m'expliqua-t-elle. Cette phrase, par exemple… (Elle gesticula avec dédain vers la ligne : « Aujourd'hui, le voyage se termine, mon fils a regagné le port »…) C'est tellement banal. Votre démarche est tout à fait inutile. Vous perdez vraiment votre temps. Il faut que vous établissiez un plan de recherches – mais même là… quelle perte de temps !

Ses mots firent voler en éclats ma confiance en moi et mon optimisme. Cachant mon exaspération, je lui demandai de me donner simplement les noms des différents journaux régionaux qui couvraient les côtes du nord de la France. Voyant qu'elle continuait à parcourir la lettre, et afin d'essayer de lui prouver que j'avais déjà découvert un indice d'importance, je commis la bêtise de lui expliquer le lien que j'avais établi avec le film de Kevin Costner.

– Une femme capable de regarder ce genre de choses, déclara-t-elle d'un ton catégorique, est tout à fait susceptible d'effectuer un trajet important, à seule fin de lancer une bouteille à la mer. Aussi, je ne vois pas l'intérêt d'éplucher les journaux régionaux.

Finalement, dans une attitude pleine de mépris, elle sortit l'annuaire de la presse locale. Profitant de ce qu'elle était occupée à répondre au téléphone, je le tournai vers moi et en recopiai les éléments le plus vite possible. Quand elle raccrocha, j'avais presque terminé. Au moment où je m'apprêtais à partir, je lui demandai si, en dépit de son scepticisme, cela l'intéresserait de savoir comment les choses progressaient. Elle fit tourner sa chaise pivotante avec un empressement étonnant et déchira un morceau de papier :

– Je vais vous donner mon adresse mail, me répondit-elle.

Ma confiance en moi était à son plus bas niveau. L'aide que m'avait fournie la bibliothécaire s'était accompagnée d'une telle condescendance que je doutais maintenant de mes motivations et de l'honnêteté morale de mon enquête. Si elle n'avait pas déjà commandé assez de journaux régionaux pour m'occuper pendant d'interminables heures, à ce moment-là j'aurais probablement tout laissé tomber. Mais comme j'avais fait un long voyage et qu'on vint m'avertir que le matériel demandé était prêt à être consulté, je décidai de m'en tenir à mon plan initial. Je lirais tous les journaux régionaux couvrant les côtes du nord de la France, en commençant par ceux de la Bretagne à l'ouest, et je gagnerais le nord, par la Normandie, en direction de Calais. Je me concentrerais sur les premiers mois d'été, puisque la mère avait mentionné « l'aube de l'été » comme période du décès. Elle écrivait également : « Pardon, mon fils de ne pas t'avoir parlé depuis si longtemps ». D'après cette phrase, je comprenais qu'elle avait été incapable d'exprimer ses émotions pendant quelques années après sa mort et, par conséquent, qu'il lui avait fallu du temps pour pouvoir coucher ces mots sur le papier. Cette hypothèse me paraissait plus vraisemblable que d'imaginer qu'elle avait été incapable de communiquer avec son fils au cours des années précédant son décès.

Je décidai donc d'entreprendre mes recherches au mois de juin, cinq années avant la découverte de la bouteille. Je n'étais pas tout à fait convaincue par cette déduction logique, mais j'avais le choix entre rentrer chez moi à Londres, la queue entre les jambes – perspective effrayante –, ou choisir de commencer à un endroit précis, en espérant que cela porterait ses fruits.

À ma grande consternation, le premier des journaux régionaux, *Ouest-France*, m'arriva sous forme de microfilm. Je rembobinai la bande et la fis défiler lentement, à la recherche des rubriques nécrologiques. Les Maurice étaient tous très âgés. Monseigneur Maurice Chatillon, un vicaire général honoraire, avait quatre-vingt-dix-sept ans ; Maurice Rob, vétéran de la Seconde Guerre mondiale, en avait soixante-dix-huit et Maurice Lemaire, quatre-vingt-douze. Il n'y avait aucun autre Maurice décédé en 1995.

Quand j'en eus terminé avec *Ouest-France*, je passai à *Paris Normandie*, puis à *Nord Éclair*. Quand j'eus fini d'éplucher ces trois journaux et chacune de leurs trente éditions quotidiennes de juin 1995, ma vue était brouillée et une envie de vomir m'agrippait la gorge. Il m'était impossible d'arriver en même temps à dérouler le microfilm plus rapidement et à parcourir les articles en repérant les rubriques nécrologiques ; le sol de ma cabine penchait déjà de façon alarmante et je savais que je ne tiendrais pas le coup. Physiquement, il était impensable de songer à survoler plusieurs décennies de faire-part de décès sur microfilm. La décision ne dépendait même pas de moi.

Le dernier quotidien que je souhaitais consulter s'intitulait *La Voix du Nord*. À mon grand soulagement, il existait une version papier. Ce journal couvrait les deux régions françaises les plus proches de la plage anglaise où mon amie avait trouvé la bouteille : le Pas-de-Calais et le Nord. Mais comme le soir tombait, je passai commande de toutes les éditions du mois de juin de 1995 à 2000 pour le lendemain.

Dans Paris, la chaleur d'août était accablante. J'étais logée dans un appartement situé près de la tour Eiffel. Chaque matin, après une nuit sans sommeil, je parcourais les rues désertes, m'engouffrais dans une bouche de métro étouffante, traversais le chantier de construction, là où le désert industriel environnant se transformait en boulevards bordés de gingkos, je franchissais l'esplanade en bois d'ipé du Brésil, cuisant comme saint Laurent sur son gril, et pénétrais dans le bunker d'acier et de verre de la bibliothèque pour me plonger dans la litanie tristement banale des décès survenus dans les provinces françaises.

On m'avait octroyé un large pupitre pour y consulter mes journaux. *La Voix du Nord*, l'important quotidien d'informations, était à l'époque un tabloïd. Plus les heures passaient, plus je maîtrisais l'art de tourner les pages rapidement jusqu'aux rubriques nécrologiques où je survolais les noms, à la recherche d'un Maurice, âgé de treize ans.

Je me lisais tranquillement les patronymes et les professions pour ne pas m'endormir.

Bernard, Émile, André, Clorinthe (retraité), Cécile, Jean, Madeleine, Joseph (jardinier et fleuriste), Marthe (coiffeuse), Léon, Solange, Antoinette, Paul, Jules, Patrick, Onéphyle (maraîcher)... La poésie de ces prénoms me berçait en rythme, comme un vieux juif à la prière, et je me demandais si, dans cette sorte d'état de transe, j'arriverais à me souvenir que je cherchais un Maurice, au cas où je tomberais sur l'un d'eux.

La disparition de tant d'êtres jeunes me serrait le cœur.

Il y avait les mères de famille qui, « suite à une longue maladie », laissaient des enfants en bas âge aux seuls soins de leurs compagnons. Il y avait également Karine, morte en juin 1997, mais que sa famille continuait de pleurer, en juin 2001.

Le faire-part disait :

Cela fait maintenant quatre ans, cela devrait aller mieux.

Mais ce n'est pas le cas. C'est de pire en pire.

Fille de nulle part, elle n'a pu trouver sa place dans ce monde intolérant.

Elle n'a pas pu supporter la mort brutale de son papa.

À travers son Art, elle exprimait ses priorités : l'amour, le bonheur, la liberté…

Depuis quatre ans, pour tous ceux qui l'aimaient réellement dans son mystère, son absence demeure insupportable, la blessure est toujours béante, particulièrement pour sa mère et pour ceux qui étaient les plus proches d'elle.

Le portrait d'une jeune fille souriante, à peine sortie de l'adolescence, la tête penchée sur le côté. La douleur brutale du message.

Plus j'épluchais les mois de juin 1995, 1996, 1997, 1998 et 1999 (Maurice Keirsgieter, ancien boulanger et prisonnier de guerre, âgé de quatre-vingt-trois ans), plus j'étais convaincue que « l'aube de l'été », période où Maurice était mort, correspondait au mois de mai. Je commandai une autre fournée de *La Voix du Nord.*

Mon attention fut soudain distraite par un article du 30 mai 2000 qui rapportait le jugement d'appel du tribunal administratif selon lequel Joëlle et Michel Leroy (professeur de philosophie, âgé de cinquante-deux ans) n'avaient pas l'autorisation de conserver le corps de leur mère dans leur congélateur. Cette dernière, Lise, était décédée le 13 juillet 1999 et, bien que paraplégique, selon l'article elle avait poussé ses deux enfants à faire des études. Le couple justifiait sa volonté de la garder près d'eux par « l'immense affection » qu'ils éprouvaient pour elle et par leur réticence à confier ses restes à la terre ou au four de la crémation, préférant la conserver dans leur cuisine. Le professeur Leroy avait l'intention de poursuivre sa procédure devant une juridiction supérieure et se disait particulièrement déçu par la décision du tribunal « d'autant que cette nouvelle leur était parvenue le lendemain de la fête des mères ».

Philogone, Fernand, Fénelon, Claudet, Rémy, Octave, Évariste, Daniel, Anne-Doris, Adalbert… La moisson de la Faucheuse était particulièrement poétique en ce 3 mai 2000. Il y avait aussi les fidèles, ces familles qui se remémoraient leurs défunts, à chaque date anniversaire, tous les ans. Ainsi, tous les 11 mai, la famille d'André publiait un faire-part en souvenir de sa mort, survenue à l'âge de vingt-neuf ans… André, dont le corps avait été incinéré selon ses dernières volontés dans la plus stricte intimité… Tous les 28 mai, Lorenzo et Fabio pleuraient « deux étoiles qui ne cesseront jamais de briller ». Une photographie de deux garçons en train de rire, l'un d'entre eux tirant la langue. Un accident de la route ?

La personne la plus proche de l'âge que je cherchais se nommait Jérôme. C'était un vice-champion de France de kung-fu, âgé de quatorze ans.

À chaque fois que j'achevais la lecture d'un journal puis le mettais de côté, les probabilités me devenaient favorables. La prochaine édition contiendrait sûrement le faire-part qui m'intéressait. Plus la pile de quotidiens à consulter baissait, plus mon excitation grimpait.

Je restais assise, seule toute la journée, à lire des annonces nécrologiques qui parlaient de petites vies brisées et du chagrin qu'elles avaient laissé derrière elles. Puis, tous les soirs, je réapparaissais en haut des majestueux escalators de la bibliothèque, traversais l'esplanade déserte de l'extravagance mitterrandienne et m'engouffrais dans le métro. Trop fatiguée pour faire un détour, trop épuisée émotionnellement pour accepter une quelconque invitation, j'étais comme étourdie par la peine collective du Pas-de-Calais.

Un soir, hébétée, après une journée passée à éplucher les journaux, je me rendis avec mon hôte parisien chez une de ses amies, une artiste peintre qui habitait en banlieue. Mon existence s'était bornée au métro, à la bibliothèque et aux rubriques nécrologiques. Assises dans le jardin, nous avons siroté de la limonade au gingembre tout en discutant tranquillement. La pelouse mal entretenue était bordée de bambous, des drapeaux à prières du Ladakh voletaient dans les feuillages tandis qu'une rangée de conifères nous isolait de l'immeuble voisin. Au milieu du gazon, sous un petit palmier, on apercevait un sage vietnamien en pierre grossièrement taillée, mais merveilleusement patinée.

L'artiste peintre s'intéressa à mon enquête. Elle me parla d'une de ses copines, une graphologue célèbre pour son intuition et son sens de la psychologie. Elle évoqua également une autre de ses amies, une certaine Christine, qui lisait les tarots et avait mis au jour un sombre secret sur son mari – qui, du coup, l'avait quittée. Elle mentionna aussi le nom d'une de ses relations, de son état « bulbologue capillaire ». Il s'agissait d'une femme dont la maman avait été coiffeuse et que les cheveux fascinaient depuis l'époque de ses premiers pas. Cette enfance passée aux pieds de sa mère parmi les boucles qui jonchaient le sol du salon l'avaient marquée à vie et, adulte, elle était devenue une experte internationale du cheveu qu'Interpol n'hésitait pas à contacter, selon l'artiste peintre, pour résoudre ses dossiers les plus complexes.

Elle me donna une carte-lettre orange vif sur laquelle elle avait noté tous les renseignements utiles pour joindre ces personnes.

Déprimée par mes premiers pas hasardeux dans les archives mortuaires et ravie par les nouvelles pistes qui s'ouvraient devant moi, je lui achetai un tableau. Il représentait un mystérieux globe doré composé de minuscules points d'interrogation, qui flottait dans un ciel bleu foncé s'étendant à l'infini dans les fibres de la toile.

Tandis que nous quittions en voiture la demeure de l'artiste pour rentrer à la maison, mon hôte m'expliqua qu'elle s'était rendue, elle aussi récemment, chez un spécialiste du follicule capillaire. Il avait passé ses mains dans ses cheveux, s'arrêtant sur certaines mèches pour s'exclamer que l'une d'elles montrait qu'elle avait divorcé, et que celle-là, plus fine, indiquait qu'elle avait des problèmes de travail. La zone située au-dessus de la tempe disait clairement qu'elle avait manqué d'un père durant son enfance. À la fin de cette analyse dont la précision l'avait complètement sidérée et convaincue, il avait saisi une lame de rasoir et, après avoir fermement soulevé une poignée de cheveux à la racine, il avait incisé les mèches, de la hauteur des épaules au sommet de la tête, utilisant la tension des cheveux en extension pour contrôler l'incision.

Selon lui, les vibrations provoquées par ce geste à la racine de chaque cheveu la libérerait de ses traumatismes passés. C'était, m'assura-t-elle, atrocement douloureux et, tandis que des larmes de douleur perlaient à ses yeux, le spécialiste lui avait annoncé qu'il venait d'éliminer tous les événements qui avaient bloqué sa psyché. Les follicules étant désormais purifiés et revigorés, elle serait comme neuve pour affronter la vie.

Bien qu'elle me racontât l'histoire sur le ton de la plaisanterie, elle était prête à débourser une grosse somme – à l'instar de bon nombre de ses amies, des intellectuelles formées à l'université, enseignant dans les écoles ou les facultés, voire occupant un poste important dans les services diplomatiques ou municipaux français – pour aller consulter cet homme dont elle prenait les diagnostics et les prédictions au sérieux. Je me fis intérieurement la réflexion que si j'étais convaincue d'emblée par les tests ADN ou toute autre analyse scientifique des résidus chimiques présents dans le cheveu, je n'avais absolument pas l'intention de soumettre la mèche trouvée dans la bouteille à la mer à ce genre de traitement capillaire psychologique.

CHAPITRE 9

Je rentrai en Angleterre, mon nouveau tableau sous un bras et un dossier rempli des notes puisées dans les journaux régionaux français sous l'autre. Piquée au vif par les remarques de la bibliothécaire, j'avais décidé de poursuivre mes recherches de façon plus méthodique. J'allais d'abord relire la lettre, en vérifier la traduction, puis tenter d'obtenir quelques avis médicaux sur l'état de santé mentale de son auteur. Je m'efforcerais également d'en apprendre davantage sur le calendrier des marées et d'identifier l'origine de la bouteille. J'avais placé tellement d'espoir dans les journaux régionaux que j'avais réussi à me persuader que l'énigme pourrait être résolue sans que j'aie besoin d'enquêter plus avant. Si nécessaire, je relancerais les choses en téléphonant aux personnes dont m'avait parlé l'artiste peintre : le bulbologue, la graphologue et la tireuse de cartes.

J'invitai une amie traductrice à la maison, en lui faisant remarquer que si elle voulait gagner son dîner elle allait devoir vérifier longuement ma version de la lettre. Ensemble, nous parvînmes à lever quelques ambiguïtés : ces dernières étant bien réelles, notre décision consista simplement à donner la priorité à une version plutôt qu'à une autre.

À ma grande stupéfaction, mon amie avait une interprétation de la lettre complètement différente de la mienne. Pour elle qui était lesbienne, il s'agissait clairement de l'aveu d'une sexualité longtemps réprimée et d'une volonté de l'auteur d'expliquer à Maurice son envie de vivre avec son amie Christine. Bien que ce soit un truisme de dire que les individus ont tendance à projeter sur un texte leurs propres souhaits, la différence entre nos deux analyses était si étonnante que je me rendais compte à quel point j'avais abordé l'affaire de façon très spécifique. Ma réaction initiale à ce message avait été émotionnelle et ma première lecture – pragmatique, superficielle et très hâtive – me ressemblait tout à fait. Je décidai de relire la lettre, en m'efforçant de me débarrasser le plus possible de mes idées préconçues et de mes préjugés. C'était bien évidement impossible, mais cette prise de conscience était déjà sûrement un progrès en soi.

« Pardon de n'avoir pas su trouver les mots dans ce terrible moment où tu me glissais entre les doigts… »

En tentant de relire la lettre dans un esprit plus ouvert, et avec une conscience accrue de toutes les interprétations possibles qu'offrait ce palimpseste, je n'étais soudain plus du tout certaine que

Maurice se fût noyé. Influencée par les nombreuses images d'eau contenues dans le texte, j'avais sauté à cette conclusion d'une façon que je trouvais désormais stupide. Avais-je réellement imaginé un jeune garçon piégé par une mer en furie, sa mère penchée sur le bastingage, les bras tendus, leurs mains s'effleurant à travers l'écume, s'agrippant, puis se séparant sous la force cruelle de l'océan jusqu'à ce « qu'il (lui glisse) des doigts » ? En réalité, la version que j'avais adoptée était moins dramatique : je pensais à une dispute entre un adolescent fougueux et sa mère trop protectrice, une querelle qui avait poussé Maurice à s'enfuir, seul, sur la plage, à s'éloigner en mer à bord de son minuscule voilier, ou simplement à nager trop loin, jusqu'à être incapable de regagner le rivage. Dans mon imagination – une imagination que j'avais effectivement sollicitée, car la lettre ne faisait mention d'aucun voilier, par exemple –, cette mort, au milieu de l'eau, avait été provoquée par une dispute (« Pardonne-moi d'avoir été si en colère…»), une impétuosité, un « trop plein de désirs ».

Il était logique de se baser sur les quelques indices présents pour bâtir une version de l'histoire : après tout, d'autres que moi avaient sauté aux mêmes conclusions. Avais-je, sans le savoir, projeté ma propre interprétation sans laisser aux autres lecteurs la possibilité de se forger une opinion ?

Avait-je simplement vu trop de films ? L'auteur de la lettre n'était-il pas tout bonnement une mère assise au chevet de son enfant hospitalisé, qu'elle voyait s'éteindre peu à peu ? Ce « trop-plein de désirs » avait peut-être conduit à une overdose à la suite d'une dispute, qui sait ? Ou s'étaient-ils simplement éloignés l'un de l'autre quand il était entré dans l'adolescence ?

La cause du décès de Maurice m'apparaissait désormais si peu évidente que j'étais horrifiée de constater à quel point je m'étais accrochée à ma première opinion, pourtant dénuée d'arguments.

Je m'étais peut-être fourvoyée en réunissant des statistiques sur le nombre d'enfants qui mouraient noyés chaque année en France. Tenter de découvrir ce qui arrivait aux corps perdus en mer avait été inutile. Je me rassurai, cependant, en me disant que je n'avais pas complètement gaspillé mon temps en épluchant la presse régionale puisque, d'une façon ou d'une autre, je m'étais davantage concentrée sur les rubriques nécrologiques que sur les articles concernant les noyades.

Au fond, cela me disait-il de poursuivre ces recherches ? M'étais-je égarée, pas seulement en enquêtant sur une cause de décès erronée, mais surtout en cherchant l'identité de cette mère ? Le temps n'était-il pas venu de rendre la bouteille à mon amie, la promeneuse de chiens, ou bien, avec sa permission, de la renvoyer à la mer, ou de verrouiller simplement le placard dans lequel je l'avais enfermée et de reprendre le cours normal de mon existence ? La nature équivoque des indices était agaçante ; cependant, j'avais le sentiment qu'il me restait encore beaucoup de pistes à explorer. Si, après les avoir suivies une à une, je n'avais pas progressé, j'aurais au moins la satisfaction de me dire que j'avais tout tenté.

*
* *

Je me sentis obligée de revoir l'ensemble des informations statistiques que j'avais collectées, et ce aussi rapidement que possible. L'employée de l'Ined était en pause déjeuner quand je la rappelai. (De toute manière, j'étais un peu embarrassée à l'idée de lui avouer que je penchais pour une autre cause de décès alors qu'elle s'était montrée si serviable.) À la réflexion, je devinais que les données de l'Institut seraient d'une utilité limitée.

Le numéro de téléphone que j'avais composé pour contacter l'Inserm ne répondait plus. Alors, comme je devais repartir de zéro, j'essayai de me convaincre qu'il s'agissait d'une nouvelle piste. Je n'expliquerais pas au fonctionnaire ce que je cherchais. Je ferais semblant d'être une journaliste en quête d'informations sur la mortalité infantile – le nombre de décès chez les garçons… de, disons treize ans, de façon générale. Cette fois, on me mit directement en rapport avec le directeur lui-même.

Il m'expliqua qu'à l'Inserm, on examinait les certificats de décès, afin d'établir un classement des causes de mortalité, mais que les dossiers étaient ensuite détruits. Cette assertion me sembla tellement improbable que je le poussai dans ses retranchements. En vain, il s'accrocha à sa version. Mon scénario ayant perdu tout intérêt, je finis par avouer que j'enquêtais en réalité sur un décès particulier, celui d'un jeune garçon dont j'ignorais à la fois le nom et la date de la mort. Après m'avoir fait remarquer que mes recherches étaient vouées à l'échec, le directeur m'expliqua que c'était l'Institut national des Statistiques et des Études économiques (Insee), qui conservait les registres des décès. Cependant, pour accéder à ces informations, j'aurais besoin au préalable de l'accord de la Commission nationale Informatique et Libertés (Cnil). Il me souhaita bonne chance.

Tandis que je cherchais le numéro de l'Insee dans l'annuaire, je fus amusée de lire sur le site Internet de British Telecom : « En France, le langage est particulièrement vénéré. Par conséquent, quand vous vous exprimez en français, prenez garde. Si votre compréhension de cette langue est limitée, il est préférable de demander à vous entretenir avec un interlocuteur parlant anglais. » C'est sans doute évident en théorie, même si les numéros de téléphone que je composai débouchèrent sur plusieurs messages de répondeurs téléphoniques, enregistrés dans un débit effarant, qui m'indiquaient d'autres numéros, dont certains gratuits qui ne fonctionnaient que dans l'Hexagone.

Quand, enfin, je découvris que ce service particulier de l'Insee ne fournissait que des données générales pour l'ensemble de l'Union européenne, j'avais l'impression d'avoir parlé avec suffisamment de statisticiens et de fonctionnaires français pour me convaincre que cette source d'informations, si mince fût-elle, ne m'apporterait plus rien.

Lorsque la documentaliste de la Bibliothèque nationale de France avait jeté le doute sur l'état psychologique de l'auteur de la lettre et s'était demandé comment je pouvais envisager une telle enquête sans avoir au préalable consulté de psychiatre, je ne l'avais pas vraiment écoutée. En même temps, si la mère de Maurice était bel et bien folle, à quoi cela rimait-il de poursuivre ces recherches ?

Je contactai une psychologue clinicienne du St Thomas Hospital de Londres, qui me rassura.

– Je ne vois aucun indice de maladie mentale, conclut-elle quand je lui eus raconté mon histoire.

Elle ajouta cependant, avec moins d'amabilité :

– À moins bien sûr qu'elle ait tout inventé et qu'il n'existe pas de Maurice. Dans ce cas, elle est manifestement cinglée.

Mais cela lui semblait peu probable.

– Traditionnellement, dans de nombreuses sociétés, on considère qu'il faut un an pour se remettre d'un deuil. Dans le cas de la mort d'un enfant, c'est beaucoup plus long. Cette femme ne semble avoir aucun soutien dans sa propre famille, sauf celui de cette amie. Écrire cette lettre et lancer cette bouteille, c'est une façon de mettre un terme à la période de deuil officiel. Et aussi de se débarrasser d'une grande partie de sa colère qui était dirigée contre elle-même. Donner son histoire aux vagues lui apporte une forme de renaissance.

Donc, cette femme n'était pas folle, disons plutôt pas plus folle qu'il n'était légitime de l'être après un tel drame. Elle était simplement, terriblement triste.

*

* *

Je demandai à une amie qui, je le savais, avait perdu un fils cinquante ans auparavant – un demi-siècle plus tôt – combien de temps, elle avait mis avant de pouvoir évoquer sa disparition.

– Il m'a fallu attendre jusqu'à aujourd'hui, me répondit-elle avec une petite voix. Je n'ai jamais parlé de lui jusqu'à maintenant.

Puis elle me raconta comment son fils âgé de trois ans avait disparu, et comment pendant tant d'années elle avait été incapable de mener une existence qui ait un sens.

Je décrivis aussi du mieux que je pus l'état d'esprit de l'auteur de la lettre à un médecin généraliste. Découvrir que Maurice ne s'était peut-être pas noyé avait tellement ébranlé la confiance que j'accordais à mon analyse que je souhaitais désormais recueillir les opinions d'un maximum d'experts dans des domaines différents, au cas où ils relèveraient certains indices qui m'avaient complètement échappé, ou que j'avais mal interprétés.

En toute honnêteté, le médecin disposait de très peu d'éléments réels sur lesquels fonder son diagnostic. Mais lorsque je lui dis qu'au vu des circonstances j'étais disposée à entendre des impressions générales plutôt qu'un tableau clinique précis, il accepta de me donner son avis.

Il s'agissait peut-être d'un traumatisme, hasarda-t-il. D'une commotion cérébrale, d'un état d'inconscience prolongé. D'un accident de la route, qui sait… Bientôt, il s'enhardit. Ou d'un coma, ce qui expliquerait l'expression « entre deux lumières ». Il était peu probable qu'on puisse penser à un cancer, puisqu'il était parti « sans prévenir ». En même temps, sa mort n'avait pas été soudaine, puisqu'elle écrivait qu'il « s'était dérobé ».

Peut-être une méningite. Une méningite à méningocoques. Il y en avait eu beaucoup ces dernières années. Cela pouvait provoquer des modifications cérébrales, un coma. Il s'agissait peut-être d'une tumeur. Mais la prise d'ecstasy pouvait également causer des dommages cérébraux. Cela collerait peut-être aussi avec la colère de la mère et son excès d'indulgence envers Maurice.

Le docteur ne pouvait se décider pour aucune hypothèse, ni rien exclure, et je n'étais pas plus avancée.

Je sollicitai ensuite le point de vue d'une psychothérapeute, afin qu'elle m'éclaire un peu sur l'état d'esprit psychologique de cette mère anonyme, qu'elle me dise depuis combien de temps l'enfant était mort ou du moins relève quelques indices.

Celle que je consultai était psychanalyste, mère de trois enfants, dont deux garçons qui avaient environ l'âge de Maurice. Nous nous étions déjà rencontrées par l'intermédiaire de nos fils, et au-delà de son opinion professionnelle, qui ne pouvait être qu'intéressante, il me semblait que le fait d'être mère d'au moins un garçon pourrait la rendre encore plus perspicace.

– La première chose sur laquelle il faut insister, commença-t-elle, c'est qu'il n'y a rien de certain.

Puis, de façon assez caricaturale, elle me demanda d'une voix douce, empreinte de sympathie, d'exprimer mon ressenti à propos de cette lettre et de son auteur. Je me mis à rire. Elle sourit et poursuivit son analyse.

– Selon un paradigme théorique, dit-elle, de Freud par Lacan, c'est une lettre hystérique au sens classique du terme – son fils aîné est un substitut de son phallus manquant (le phallus objet de différentiation, c'est-à-dire ce qui est là ou absent). Il semble qu'il n'y a pas d'autres enfants, ni aucune mention d'un père ou une référence à son absence. On peut dire que la métaphore paternelle – *le nom/non du père* – servant à protéger le fils d'un inceste avec la mère n'est pas opérationnelle. On sent comment le fils devient un substitut pour tous ses besoins érotiques et émotionnels – théoriquement, il devient le phallus que la femme perçoit comme manquant, en l'absence de son pénis (celui de la mère).

J'avais déjà perdu pied avec toute cette terminologie et je fus très soulagée quand elle passa brutalement de la psychanalyse lacanienne à une analyse plus compréhensible.

– Ainsi – et il est loin d'être le seul –, il se sera senti étouffé, enterré vivant sous le désir de sa mère, qui était exprimé comme un dévouement absolu ou une aspiration. Il n'est probablement pas surprenant que vers la puberté, quand son propre désir et sa sexualité ont commencé à frémir, il y ait eu une sorte de rupture entre eux. Il y a peut-être eu une dispute qui les a mis sous pression tous les deux. Le côté fusionnel de leur relation peut clairement l'avoir poussé à se rebeller activement afin de parvenir à une forme de séparation avec elle.

« Inconsciemment, deux choix s'offraient à lui : soit demeurer pour toujours dans une position aliénante, en essayant de devenir ce qu'elle voulait qu'il soit, soit lutter de toutes ses forces pour s'échapper – elle était si symbiotiquement attachée à lui. Il est difficile de savoir s'il cherchait réellement à la blesser par le seul moyen dont il disposait, c'est-à-dire en fuyant. Étant donné l'attachement qu'elle avait pour lui, il avait une solution pour la faire payer : se faire du mal.

« S'il semble évident que Maurice a vécu un immense conflit avec sa mère quand il a atteint l'adolescence, rien ne précise la forme que ce dernier a prise. Il n'y a aucune référence précise à ce conflit. Cela dit, je pense sincèrement qu'étant donné toutes les images d'eau présentes dans la lettre, il est probable qu'il s'est noyé – ou qu'il a été victime d'un accident lié à l'eau, qui a causé ultérieurement sa mort.

« La lettre est écrite dans un style très fleuri, presque ritualiste. Je vois cette mère comme une catholique, issue d'une famille française d'une classe sociale élevée, une de ces familles qui partent en vacances sur la côte. Elle s'est servi de son fils pour remplir le vide laissé par un mariage malheureux ou une existence stérile. Quand elle écrit que sa vie « a commencé avec sa naissance », elle sous-entend qu'avoir un fils en premier a été une révélation, qu'elle a enfin eu la bénédiction de recevoir ce qui lui avait manqué pendant si longtemps. La perte de son fils est un événement d'une telle ampleur qu'elle a pu mettre des années pour sortir de ce deuil. Je dirais volontiers plus de cinq ans. Étant donné ce qu'il signifiait pour elle, il est même étonnant qu'elle soit encore en vie. Je suis pratiquement convaincue, vu le vocabulaire employé et le ton détaché de sa lettre, qu'elle a reçu de l'aide, probablement un soutien psychologique.

« Avoir réussi à atteindre le degré de détachement qu'elle tente de trouver – même si elle ne parvient pas à le garder –, cette capacité même à écrire un texte poétique est impressionnant. Cette lettre est rédigée à sa propre intention. Si elle n'avait pas suivi de thérapie, le langage serait plus brutal et elle donnerait des détails plus précis – davantage d'indices concrets sur son identité et sur les événements de sa vie –, les choses qui se sont produites. Cette langue littéraire, ce style métaphorique lui permettent de garder ses distances. C'est comme si elle aspirait encore à une forme de retenue.

« Aujourd'hui, elle s'est détournée des hommes et – a priori – elle a opté pour une relation homosexuelle. Elle a vécu dans un monde où elle n'avait ni mari ni père pour son fils, et puis elle a perdu ce dernier. Avec cette disparition, elle perd le phallus imaginaire qu'elle avait provisoirement acquis avec sa naissance, et c'est comme s'il lui fallait renoncer au masculin afin de s'autoriser à avoir une vie sexuelle, une vie sexuelle qui, jusqu'à présent, était sublimée dans l'amour qu'elle portait à son enfant.

« Le fait de mentionner son amie Christine est un pas en avant capital. Cette lettre tient lieu de confessionnal, l'aveu fait à son fils l'aide à franchir une étape. Il est le seul dont l'opinion compte à ses yeux. Psychologiquement, elle a besoin qu'il soit de son côté. La dernière phrase est écrite sur un ton de conversation qui suggère qu'il est toujours là, qu'elle a encore besoin de lui expliquer les choses directement. La réalité inconsciente qui est exprimée ici montre qu'il est toujours le seul qui compte. Pour elle, il sera toujours le seul, l'unique. Celui qui importe vraiment.

La psychothérapeute m'avait fourni une abondante matière à réflexion. J'étais d'accord avec elle sur le fait que l'absence d'allusion à un père ou à un compagnon était intéressante et probablement révélatrice, même si je me serais bien passée de ses interprétations lacaniennes. Elle avait de toute évidence mis le doigt sur la nature étouffante de la relation entre la mère et le fils, et réussi à comprendre une part de l'intensité de ce sentiment. Elle m'avait expliqué comment la mère avait tenté d'acquérir un certain détachement, de repousser son chagrin et la mort de Maurice par le biais de belles images. Elle avait également intellectualisé ce que mon amie lesbienne avait compris instinctivement : cette mère s'efforçait de combler le vide laissé par la mort de Maurice en se lançant dans une relation homosexuelle.

Mais, hormis le fait que cette femme avait peut-être eu besoin de cinq années de psychanalyse pour atteindre ce degré de distance émotionnelle, les conclusions de la psychothérapeute ne m'avaient fourni aucun élément concret, rien qui puisse me rapprocher de l'auteur de la lettre.

CHAPITRE 10

Outre mon amie qui avait trouvé la bouteille, je connaissais trois personnes résidant dans le Kent : un médecin, un avocat et un homme d'affaires qui, à ses heures perdues, était secouriste bénévole en mer, sur l'île de Sheppey. Je décidai de reprendre contact avec lui.

De : Karen Liebreich
Pour : David
Sujet : Une bouteille à la mer

Cher David,

Désolée de te manquer sans cesse. Continues-tu toujours tes missions bénévoles pour le poste de secours local ? Je m'intéresse beaucoup aux marées de la plage de Warden Bay. Est-ce que tu te souviens que je t'ai parlé d'une bouteille que nous avons trouvée là-bas ? J'ai besoin de localiser son lieu de provenance. J'ai parlé à mon amie. Voilà les indications les plus précises concernant la marée :

Elle a trouvé la bouteille dimanche 17 février 2002, en fin de matinée. Elle était déposée sur la laisse de haute mer. Je sais que tout ça n'est pas aussi précis que tu le souhaiterais mais c'est tout ce dont je dispose.
J'espère que tu vas bien.
Karen.

*
* *

En quelques semaines, David avait organisé un rendez-vous avec le patron des sauveteurs locaux. J'appelai alors mon amie, la promeneuse de chiens, qui accepta de m'accompagner. Elle n'avait lu la lettre qu'une fois, à l'époque où je lui avais envoyé mon premier jet de traduction. Je lui avais demandé au téléphone son opinion sur plusieurs phrases du texte, mais elle avait refusé de la relire dans son intégralité. Passer une journée au poste de secours en mer était différent.

L'île de Sheppey est un endroit de marais, de chantiers navals et de pubs où fait rage l'autodérision sur les étranges coutumes et la consanguinité insulaires. Située à un peu plus de 80 kilomètres de Londres, Sheppey se trouve à l'embouchure de la Tamise, à sa jonction avec Medway, au nord-est du Kent. Séparée du continent par le Swale, un affluent de la Tamise, l'île mesure environ quatorze kilomètres et demi de long sur sept kilomètres de large. Sa côte nord fait face à la mer du Nord.

À l'approche du chantier naval de Sheerness, une lumière blanche se réfléchissait dans le pare-brise de milliers de voitures en stationnement qui, scintillant comme des bijoux sur un plateau, attendaient d'être transportées vers tous les concessionnaires du pays. La plupart des automobiles importées en Grande-Bretagne entrent dans le pays par Sheerness. Visiblement peu intéressés par notre intention de rendre visite au poste de secours en mer, les agents de sécurité levèrent la barrière non sans lancer quelques commentaires grivois.

Un corps vêtu d'un uniforme sec était affaissé sur la rambarde près de l'entrée menant au hangar à bateaux. S'agissait-il d'une tentative de sauvetage qui avait échoué ? Ou était-ce la façon dont les sauveteurs accrochaient leur équipement, afin de les enfiler au plus vite lorsqu'une urgence se présentait ? La réponse ne tarda pas à venir, car on nous présenta bientôt à Dead Fred, un vieux costume conservé là en guise de décoration. Incontestablement, ça mettait dans l'ambiance !

À l'intérieur du poste de secours, nous fîmes la connaissance du barreur, le seul membre de l'équipe rémunéré et à plein temps, visiblement très respecté dans toute la région. Le reste du groupe est constitué de volontaires, joignables par biper. Le barreur se montra un peu bourru au départ, ne se fiant manifestement qu'à ses propres références de vieux loup de mer. Ses sourcils en biais indiquaient qu'il jugeait nos recherches stériles. Cependant, lorsque nous lui expliquâmes les raisons de notre enquête, il se radoucit et sortit sa table des marées et ses graphiques.

Les marées hautes susceptibles d'avoir déposé la bouteille un dimanche de février 2002 étaient les suivantes :

3 février 04.11
10 février 11.38
17 février 03.16
22 février 09.47

Selon le barreur, il avait fallu un vent de nord-est pour que la bouteille pénètre dans Warden Bay. On avait pu la lancer d'un navire, d'un yacht ou d'un ferry qui traversait la Manche, bien que, selon lui, peu de bateaux de plaisance naviguaient dans la zone durant les mois d'hiver. Il estimait qu'on aurait pu également la jeter d'une autre plage anglaise. Il penchait pour Norfolk, mais j'en doutais puisque cette bouteille d'Evian n'avait pas été commercialisée au Royaume-Uni.

L'homme fit remarquer que si on lançait une bouteille en cours de marée montante, elle pouvait parfaitement vous revenir quelques vagues plus tard, mais il nous semblait très improbable qu'une Française ait apporté une bouteille uniquement vendue sur le continent sur une plage aussi morne et isolée d'Angleterre, et d'accès aussi peu pratique. Dans le cas où elle aurait été jetée d'un ferry, il estimait qu'elle aurait pu dériver plusieurs semaines ou du moins quelques jours avant de s'échouer.

Entrant de bon cœur dans l'enquête, il vérifia alors les courants de marées sur la côte nord de la France. Si la bouteille avait été lancée de Brest, de Cherbourg ou d'un port breton, elle aurait été transportée vers l'ouest en direction de l'Amérique et de l'Espagne, aurait suivi le Gulf Stream jusqu'à la côte portugaise ou tournoyé sans fin sur elle-même quelque part au large de Saint-Malo. Lancée de Dieppe, plus à l'est, ou de la région d'Ostende, elle aurait pu dériver vers l'île de Sheppey.

Nous fixâmes d'un œil sombre ses graphiques et ses tableaux, tentant d'y repérer une réponse convenable – ou même juste une simple réponse. Sans succès.

Même si je ne mettais pas en doute ce que m'avait dit le chef des sauveteurs, des amis marins zélés me suggérèrent de vérifier ses affirmations auprès de la Royal Navy, qui avait quasiment inventé les almanachs des marées. Par précaution, je décidai de m'approcher également du bureau hydrographique, un service du ministère de la Défense qui fournit les informations à partir desquelles sont établis ces almanachs. L'homme qui me répondit m'expliqua que, lors de sa formation, il avait étudié les systèmes des marées avec des oranges : leur qualité de flottaison, une couleur vive, peu de résistance au vent, éventuellement une biodégradabilité – autant de facteurs qui pouvaient permettre de prévoir les marées avec une précision de quelques minutes. Mais la réponse qu'il m'envoya par courrier électronique me prouva qu'il n'était pas si facile de déterminer après coup le point de lancement de la bouteille :

Malheureusement, il est pratiquement impossible de dire où et quand la bouteille a pénétré dans la mer. Outre les courants de marée, certains effets météorologiques (comme le vent) ont pu également influencer les déplacements de la bouteille. Suivant l'époque, elle a pu se déplacer de façon très imprévisible.

Ainsi, les marées ne voulaient pas livrer leur secret. La bouteille avait pu être lancée de n'importe où, le long de la côte nord de Belgique ou de France, et même avoir été jetée d'un bateau.

À l'époque où j'étais en quête d'informations sur l'histoire des bouteilles à la mer et sur les différents objets qui dérivaient dans les océans, un nom revenait sans cesse : celui de Curtis Ebbesmeyer, un océanographe basé à Seattle, dont j'avais entendu parler pour la première fois quand un bataillon de canards en plastique avait commencé à s'échouer sur les plages du monde entier, attirant ainsi l'attention des médias. En janvier 1992, un cargo pris dans une tempête au large du Pacifique Nord avait perdu un conteneur rempli de vingt-neuf mille jouets de bain – c'est ainsi qu'avait été lancée la flotille des canards en plastique. Depuis 1966, le docteur Ebbesmeyer établit les cartes des courants maritimes. Il a commencé par lancer des bouées et des marqueurs afin de suivre leur progression, avant de devenir le spécialiste des épaves flottantes. Aujourd'hui, Ebbesmeyer est considéré comme le « Grand Kahuna » de ceux qui ramassent les objets perdus sur les plages. Il traque le cargo qui se débrouille pour échapper aux quelque cent millions de conteneurs transportés en bateau autour du monde chaque année. Apparemment, dix mille d'entre eux – chacun mesurant deux mètres quarante sur douze, et contenant, disons, dix mille baskets – passent par-dessus bord, en dispersant leur cargaison sur les sept océans. Les calculs d'Ebbesmeyer sont étonnamment sophistiqués. Il utilise comme principal facteur la résistance au vent : les chaussures, par exemple, ont tendance à flotter à l'envers, sans lui offrir aucun profil, tandis que les têtes des canards en plastique lui donnent prise. Ainsi les canards mettent environ trois ans pour faire le tour du Pacifique Nord, alors qu'une chaussure de sport en met six. En l'an 2000, trois conteneurs ont laissé échapper un million de pièces de Lego au milieu de l'Atlantique. On pense que ces dernières devraient rejoindre la terre ferme par l'Arctique et la route maritime du Nord. Ebbesmeyer pense que certaines d'entre elles s'échoueront sur les plages d'Alaska en 2012 et sur celles de l'État de Washington en 2020.

Apparemment, il n'a jamais trouvé de bouteille à la mer.

Chaque plage a sa spécialité, et selon l'explication de Curtis Ebbesmeyer dans un article du

National Geographic, « elles sont comme des restaurants, certains servent de la nourriture thaï, d'autres des plats indiens ou chinois. Certaines plages sont connues pour leur verre, leurs bouts de bois, ou leurs objets ». Certaines offrent des graines ou des fruits tombés des arbres et des plantes qui poussent sur les rivages un peu partout dans le monde, particulièrement sous les climats tropicaux. Il existe même des passionnés de naturalisme qui ramassent les graines de mer, les identifient, les polissent et écrivent des livres à leur sujet.

Le Dr Ebbesmeyer gère le site Beachcomber Alert, une adresse Internet où les personnes qui ramassent des objets sur les plages échangent des informations. Je décidai de lui demander conseil à propos de ma bouteille et lui donnai tous les détails concernant l'endroit où mon amie l'avait trouvée. Il répondit à mon mail avec une rapidité déconcertante, soit à peine quelques secondes plus tard :

Chère Karen,

Merci de m'avoir donné tous les renseignements que vous possédez. J'ai bien peur, cependant, de ne pas avoir assez de précisions pour aller plus loin. S'il vous plaît, faites-moi connaître les progrès de votre enquête.

Curt

*
* *

Avant de parler aux trois contacts que m'avait indiqués l'artiste peintre, je voulais résoudre, pour moi-même, une fois pour toutes, le problème des naissances, des morts et des mariages. Lorsque j'avais décidé de chercher l'identité de cette mère inconnue, j'avais passé en revue différentes stratégies, mais celle qui m'avait paru la plus efficace consistait à passer soit par la presse régionale, soit par les registres des décès.

Au début de mon enquête, j'avais été déroutée en apprenant par les pompes funèbres internationales travaillant avec le Foreign Office qu'il n'y avait pas de fichier des décès centralisés en France ; mais, étant donné l'importance que ce point pouvait revêtir dans la résolution de ce mystère, il me fallait en être sûre. Internet ne mentionnait l'existence d'aucun registre français. Je contactai alors son équivalent britannique qui me mit en rapport avec le bureau qui gérait celui de l'état civil à l'étranger. L'employée me confirma qu'il n'existait pas de système comparable en France et que tous les fichiers y étaient conservés dans les mairies. Je lui demandai s'il était possible, en Grande-Bretagne, de retrouver l'identité d'une personne avec seulement un prénom et un âge, mais sans date ni lieu de décès.

– Non, bien sûr que non, me répondit-elle.

De retour en France, je choisis une mairie au hasard. Les chances de trouver celle qui détiendrait les renseignements sur Maurice étaient si minces que peu importait par où j'allais commencer.

Comme la capitale m'offrait un accès plus pratique et plus agréable et qu'elle abritait probablement le registre le plus important, je décidai de me rendre d'abord dans la mairie la plus proche. Le fichier de l'état civil était tellement crucial pour mon enquête que je ne me sentais pas le droit de prendre pour argent comptant cette histoire de régionalisation du système. J'éprouvais le besoin de me rendre en personne dans les archives afin de voir si, en persuadant un fonctionnaire – en le charmant, en le harcelant ou même en le soudoyant –, je ne parviendrais pas à me faire ouvrir une éventuelle base de données magiques. J'avais du mal à croire qu'un État moderne, célèbre pour sa centralisation napoléonienne, où selon la légende, le ministre de l'Éducation connaissait, à l'heure près, l'exact emploi du temps quotidien de chaque petit Français où qu'il se trouve dans le pays, n'avait pas de registre centralisé sur sa population.

La mairie du XVIe arrondissement était d'une dimension à la fois prétentieuse et imposante. Son entrée, flanquée de massifs de fleurs, faisait valoir sa pompe républicaine héritée du XIXe siècle. Un escalier ouvragé menait vers des couloirs où déambulaient d'un pas pressé des citoyens harassés, agrippés à des liasses de documents. Dans l'embrasure d'une porte, une femme implorait un fonctionnaire :

– Il doit bien y avoir une solution ! suppliait-elle en pleurant tandis que l'homme lui refermait doucement la porte au nez.

Un agent administratif avait accepté de me recevoir et de m'expliquer le fonctionnement du système. C'était une femme d'un certain âge avec des cheveux blonds effilés, maladroitement maquillée et manucurée, dont le cardigan étriqué accentuait le décolleté ridé. Elle fut d'abord ravie d'étaler ses connaissances, aussi limitées fussent-elles. Effectivement, on conservait les registres dans ces murs pendant une durée de cent ans, avant de les transférer dans un bureau des archives nationales situé sur un boulevard du XIXe arrondissement. Depuis 1989, on les stockait sur informatique dans chaque hôtel de ville, et l'on envoyait des copies des certificats de décès dans les mairies des lieux de naissance. La femme fit pivoter l'écran de son ordinateur pour me montrer les colonnes correspondant aux décès. J'y repérai immédiatement un Maurice disparu en décembre 1996.

Le système était encore plus fragmenté que je l'imaginais. Je découvris que chaque arrondissement de Paris possède sa propre mairie et qu'il faut obtenir une autorisation individuelle et officielle du procureur général pour pouvoir accéder aux informations. Il y avait donc vingt mairies rien qu'à Paris, chacune d'elles nécessitant vingt demandes d'autorisation, puis vingt recherches différentes pour un seul certificat qui, statistiquement, avait peu de chances de se trouver là. Ainsi les pompes funèbres ne m'avaient pas menti en me parlant des trente-six mille mairies disséminées à travers la France. J'étais dans une impasse.

L'agent administratif avait-elle vu la lueur qui s'était allumée dans mes yeux lorsque j'avais repéré la mention de ce Maurice décédé ? Toujours est-il qu'elle parut soudain effrayée et repoussa brutalement son écran en murmurant que je devais d'abord produire l'autorisation du procureur général, délivrée par le tribunal de grande instance. Cette autorisation s'appliquerait manifestement à quelques autres mairies. La femme se pencha en avant, attrapa mes notes, et griffonna son nom et son numéro de téléphone sur mon bloc avec une telle force qu'elle endommagea plusieurs autres feuilles.

– Ne l'utilisez pas, chuchota-t-elle.

J'eus beau la rassurer, elle avait perdu confiance et m'éloigna fermement de son bureau.

L'entretien était arrivé à son terme. Il n'y avait plus de doute : les registres d'état civil n'étaient accessibles que dans chaque mairie, après autorisation spéciale et individuelle.

CHAPITRE 11

J'avais joué mes deux meilleures cartes, mais il m'en restait quelques-unes dans la manche. Je n'avais pas tout à fait épuisé les insondables ressources d'Internet, ni contacté les connaissances New Age dont l'artiste peintre avait noté les coordonnées sur sa petite carte-lettre orange. Je décidai de garder pour plus tard les thérapeutes alternatifs et de m'atteler en premier lieu aux solutions informatiques.

Après avoir échoué dans ma tentative de résoudre l'affaire grâce aux bases de données des sociétés, il m'était arrivé occasionnellement, durant mes moments de loisirs, de surfer sur des moteurs de recherche selon la logique des fonctions booléennes : « Maurice + noyé + treize ». Cela dit, depuis que j'avais admis que sa disparition n'était pas nécessairement liée à une noyade, je n'avais pas consacré un temps suffisant à cette recherche. Le moment était venu de m'y adonner pleinement et d'essayer toutes les combinaisons et les permutations possibles.

Je tapai les mots « Maurice + mort », et je fus récompensée en tombant sur la critique d'un livre pour enfants tout juste publié et intitulé *Maurice est mort*. La journaliste, qui avait visiblement apprécié l'ouvrage, estimait qu'il pouvait aider les petits à prendre conscience que la disparition n'avait rien d'effrayant et qu'elle soulageait des petites tracasseries du quotidien. Je le commandai aussitôt, heureuse de cette coïncidence de nom tout en me demandant si cela avait un rapport avec mon enquête. Qui sait, l'auteur avait peut-être connu Maurice ?

L'histoire était horrible. Alors que deux petits oiseaux sont en train de jouer, l'un tue l'autre par accident. Celui qui est mort, Maurice, est superficiellement examiné par un médecin qui ne cesse de penser à son futur dîner. La séquence est illustrée à l'aide de bulles au-dessus de sa tête. Puis on enferme l'oiseau mort dans un cercueil où il finit mangé par les vers. Le prénom de l'oisillon ne faisait qu'accentuer le sort tragique qu'avait connu Maurice. Et l'idée que ce n'était pas un enfant mort, mais juste une caricature d'oiseau couchée dans ce petit cercueil de couleur vive, n'était d'aucune consolation.

J'essayai d'utiliser les immenses possibilités technologiques qu'offrait Internet au mieux de mes connaissances. Dans un premier temps, je mis sur pied une page Web réclamant des informations, et créai des liens vers plusieurs sites plus importants et plus fréquentés. Puis je rédigeai une annonce avec les quelques éléments en ma possession, que j'adressai par mail à tous mes amis et mes connaissances en leur demandant de l'envoyer à l'ensemble de leur carnet d'adresses. À l'exemple d'une boule de neige, le message quitta mon ordinateur comme pour tenter en temps réel de tester la théorie selon laquelle toute personne sur le globe peut être reliée à n'importe quelle autre au travers d'une chaîne de relations individuelles comprenant au plus cinq maillons supplémentaires. Un de mes amis me répondit qu'il l'envoyait immédiatement à son réseau riche de cinq mille cinq cents contacts. Au cours des phases de découragement que me vaudrait mon enquête, ce serait une consolation de savoir que mon message naviguait dans le cyberespace et finirait peut-être par arriver sur l'écran d'une personne qui avait connu Maurice ou sa mère.

Quelques semaines plus tard, je reçus un mail d'un universitaire américain qui se demandait si cette histoire n'était pas un canular mathématique.

Les seuls éléments mentionnés sont un âge (13), les indices classiques d'un rébus – le mot « décédé » qui correspond à DCD, 900 en chiffres romains erronés – et des noms : Maurice et Christine (cela m'évoque Christine de Pizan, Christine de Suède ou Maurice de Saxe). Le reste du principal message est un triple oxymore, des réminiscences de poésie surréaliste : on ne peut pas « éteindre le repos », le « repos » ne peut pas être « infatigable » et « les bras tendus » ne sont pas « au repos ». Étant donné qu'il n'y a rien d'autre, tout cela ressemble à une énigme, à un test, ou à un casse-tête. Ce n'est pas un message émouvant. Ce n'est qu'un ramassis de phrases en français, juxtaposées et totalement improbables, issues sans doute d'allégories, de citations et de phrases truquées. Je n'en ai pas trouvé le code, mais je veux bien manger mon chapeau s'il ne s'agit pas d'une sorte de coup monté.

Tout cela me semblait peu convaincant – je croyais que 900 s'écrivait CM en chiffres romains et je ne voyais pas ce qu'un poète du XIVe siècle, un général du XVIIIe et une convertie au catholicisme du XVIIe avaient en commun – quitte à chercher des associations de noms, pourquoi pas Maurice Chevalier et Christina Aguilera ? Cependant comme j'étais ouverte à toute collaboration d'où qu'elle vienne, je contactai immédiatement l'Américain en lui demandant si je pouvais lui envoyer la totalité du message. Il accepta et, quand il eut étudié la lettre dans son ensemble, il m'écrivit en revenant sur sa première analyse : « Désolé pour mes soupçons initiaux : il ne s'agit pas d'un canular codé. »

Il partageait entièrement mon opinion, ce qui était à la fois rassurant et dommage, car ce triple oxymore en forme de rébus portait en lui la promesse d'un passionnant défi intellectuel à relever.

En attendant, je redoublai d'efforts sur Internet. Je contactai le site Les amis sont réunis en leur demandant si je pouvais y publier une petite annonce. Je reçus une réponse informatique qui me demandait de donner le nom de mon école et les années où j'y avais étudié.

J'écumai le Net à la recherche de sites consacrés aux bouteilles à la mer, étonnée par les différences qu'il y avait entre eux, des différences qui semblaient tout à fait illustrer les disparités qui existent entre les cultures. Le site britannique – www.letterinabottle.com – était très pragmatique.

Letter In a Bottle est heureux de vous offrir un présent à la fois original et de grande qualité. Nous n'utilisons que les meilleurs matériaux pour fabriquer ce produit fini qui vous réjouira et vous surprendra. Vous pourrez utiliser ce mémorable cadeau – cette bouteille à la mer – pour transmettre un message inoubliable, éternel et inestimable.

Chaque bouteille à la mer est faite à la main et fabriquée selon des normes exigeantes et avec un soin attentif, jusque dans les moindres détails. Nous faisons en sorte d'assembler la bouteille et son message avec amour et pour cela nous n'utilisons que les plus belles bouteilles d'importation.

Une bouteille à la mer est un produit issu de l'artisanat britannique.

Je leur envoyai un mail pour demander de l'aide – le site pourrait sans doute passer une petite annonce à propos de mon enquête –, mais je ne reçus aucune réponse.

La version californienne, www.messageinabottle.com parlait moins d'artisanat et davantage d'air marin…

Est-ce notre proximité avec l'océan qui enflamme l'imagination de nos concepteurs lorsqu'ils créent nos magnifiques bouteilles ? Est-ce de contempler ces paysages marins à couper le souffle qui stimule leur créativité ? Ou est-ce la beauté naturelle des collines ondulées, des cyprès balayés par le vent, et des échoppes pittoresques qui leur font cet effet ? C'est tout cela à la fois.

Ce décor idyllique où l'air salé est imprégné de romanesque et de moments magiques est l'un de nos plus grands atouts lorsque nous créons ces bouteilles capables de faire naître des poèmes et des lettres d'amour. Nous espérons que nos bouteilles vous inspireront.

Dans la même journée, je reçus un message courtois, me proposant de l'aide, et leur renvoyai immédiatement quelques informations et une photographie de la bouteille. Tous ces éléments furent mis en ligne sur le site peu de temps après, mais ne suscitèrent aucune réponse.

Les sites américain et anglais étaient conçus à la seule destination des consommateurs, même s'ils offraient un point de vue poétique et artisanal, alors que le français, mélancolique et à visée cathartique – www.unebouteillealamer.com –, affichait une pauvre petite bouteille, cernée de larmes, flottant sur l'écran.

Assez de la vie, de la solitude, de l'angoisse, de la dépression ? Écrivez vos mots, mettez-les dans une bouteille, puis jetez la dans l'océan Internet.... La bouteille se brisera et quelque part, quelqu'un vous lira.

… L'auteur de ce site est un psychologue clinicien et pathologiste. Il a travaillé durant les dix dernières années dans un hôpital psychiatrique et a passé la majeure partie de son temps à assurer le suivi de patients dans une clinique attachée à cet établissement… Ses références théoriques nécessaires à sa pratique sont issues des travaux de Jacques Lacan.

Le but de ce site n'est pas d'apporter une réponse au désespoir. Il est seulement d'offrir un tremplin à la souffrance pour qu'elle puisse être entendue par quelqu'un au hasard de ce voyage. La personne qui reçoit le message peut choisir d'y répondre ou non, mais quel que soit le choix qu'elle fera le SOS aura été lu...

Permettre à quelqu'un de jeter le masque du chagrin dans la mer et de l'adresser à un inconnu est peut-être la première étape pour qu'on nous renvoie un sourire.

Quand je contactai le webmaster, qui était effectivement un psychologue clinicien en exercice, il m'expliqua qu'il avait lancé ce site quelques années plus tôt, en juin 2002. Durant les onze premiers mois, il avait reçu environ 8 500 visites. « Quand on scelle une bouteille à la mer, m'écrivit-il, ce qui compte, c'est l'espoir que notre souffrance intime soit entendue, tôt ou tard. L'espérance d'une réponse compte davantage que la réponse elle-même. »

Certaines personnes, essentiellement des adolescents, semblent devenir accro au site et s'y connectent quand ils sont déprimés et ont besoin de confier leurs secrets à un inconnu. Lorsque le webmaster reçoit un SOS, il le transmet à un membre qui a accepté de recevoir des messages. Il ne répond lui-même que si le SOS exige une information sur la psychologie ou la psychothérapie.

Chaque site – américain, britannique et français – paraissait en adéquation avec les idées reçues que l'on a sur son pays d'origine : la Grande-Bretagne, de dimension modeste et tournée vers l'artisanat, l'Amérique avec ses rivages océaniques et son appétit pour la consommation, la France, avec son goût pour l'intellectualisme et l'auto-analyse.

Intrigué par mon enquête, le webmaster français me proposa également son aide. L'idée me traversa l'esprit qu'il me considérait peut-être comme une patiente nécessitant un soutien psychiatrique. Son email disait :

Vous pourriez m'envoyer un double de la lettre que votre amie a trouvée. Il est possible que son auteur ait laissé un message similaire sur « Une bouteille à la mer ». Si j'en avais une copie, je pourrais le comparer avec ceux qui ont été déposés sur le site et vérifier si la même personne a lancé un SOS. Comme je vis également dans le nord de la France (Lille), je pourrais essayer de contacter des collègues et des associations qui s'occupent de gens qui ont perdu un proche. Je pense qu'il est envisageable que l'auteur de ce SOS l'ait envoyé d'une plage du nord de la France ou de la Belgique.

La chance et le destin sont parfois déroutants… Alors, il est peut-être possible de retrouver cette personne.

Je lui envoyai plusieurs paragraphes de la lettre en l'encourageant à agir au mieux pour faire avancer les recherches. Au fur et à mesure de son implication dans l'enquête, il mit en ligne un avis de recherche, créant un lien vers d'autres sites français avec lesquels il était en contact, y compris celui d'Alain Chamfort. Cette petite annonce paraissait un peu incongrue, perdue au milieu de la discographie de ce chanteur.

Même durant ses vacances, le sujet continua de préoccuper le psychologue. À son retour, il m'écrivit : « Je pense que la personne vit quelque part près de Calais ou de Boulogne. Il existe un endroit là-bas, le cap Gris-Nez, dont le décor se prête totalement à l'idée de lancer une bouteille à la mer. Quand j'ai vu les lieux, j'ai eu ce sentiment, cette intuition. »

Le cap Gris-Nez est un promontoire qui offre une vue spectaculaire sur les falaises blanches de Douvres, et situé sur la D 940 entre Calais et Boulogne. Bien que n'ayant aucune preuve de ce qu'il avançait, hormis son intuition, le psychologue décida de faire appel à ses réseaux professionnels. Je l'y encourageai avec enthousiasme.

Il confia à l'un de ses collègues la tâche de contacter toutes les mairies situées le long de la côte. Il demanda également à son beau-père, qui appartenait aux forces de police de la région, de vérifier toutes les bases de données officielles susceptibles de receler le certificat de décès de Maurice. Lors d'une conférence sur le deuil et le soutien aux parents qui avaient perdu un enfant, l'un de ses confrères, basé à Cherbourg, mentionna l'existence de cette bouteille à la mer et sollicita l'aide des autres intervenants pour qu'ils récoltent des informations sur l'auteur de la lettre. L'avis de recherche circula ainsi dans plusieurs associations françaises similaires. D'après le psychologue, ce n'était qu'une question de temps avant que nous récoltions des éléments concrets sur l'identité de Maurice et de sa mère.

Pour l'heure, je n'ai reçu aucune réponse positive à ces démarches encourageantes, bien que le psychologue webmaster soit toujours en contact avec moi et me tienne au courant périodiquement du peu de progrès que lui valent ses efforts.

En attendant, l'euphorie de cette « chasse à l'homme » s'était emparée de moi, éclipsant le chagrin qui motivait le pourquoi de ma quête. Je n'avais pas relu la lettre depuis un certain temps et sa violence émotionnelle était comme passée à l'arrière-plan. C'était désormais une proie que je traquais.

Lorsque je racontai à mes amis et à mes connaissances à quoi j'occupais mes journées, je découvris que beaucoup d'entre eux avaient déjà trouvé des messages mystérieux, des instantanés de vie poignants d'autres personnes. Ainsi, un peintre de mes relations avait découvert une semaine auparavant un poème d'amour coincé derrière le panneau latéral de sa Mercedes d'occasion. Il ignorait si le message était parvenu à destination, mais le texte parlait avec désespoir de la fragile beauté de la femme et des relations amoureuses. La feuille de papier, soigneusement pliée, était enfoncée si profondément dans le panneau qu'il était impossible qu'elle soit arrivée là par hasard. À peine quelques jours plus tôt, mon frère avait lui aussi découvert une lettre d'amour au contenu étrangement analytique, griffonnée derrière le menu d'un pub à Salamanque :

– Sais-tu ce que tu attends de la vie ?
– Sais-tu comment l'obtenir ?
– Est-ce que je fais partie de l'existence dont tu rêves ?
– Es-tu prêt à faire des efforts pour que nous soyons réunis ?
– Penses-tu que cela en vaille la peine ?
Le plus important, c'est que je t'aime. J'ai déjà répondu moi-même à toutes ces questions et la réponse est oui. Mais je ne peux pas me contenter de demi-mesures, Jorge. Je ne me donne qu'à 100 pour-cent ou pas du tout.

Ainsi le désir de rendre les « objets trouvés » à leur expéditeur n'était pas qu'une obsession personnelle. Je découvris un site Internet, www.foundmagazine.com, exclusivement consacré aux morceaux de papier, aux photos, et même aux bandes audio que les gens avaient trouvés dans la rue, dans les parkings… des fragments de la vie des autres.

Nous collectons les lettres d'amour, les cartes d'anniversaire, les devoirs des enfants, les listes de choses à faire, les talons de tickets, les poèmes rédigés sur des serviettes en papier, les gribouillis de toutes sortes – tout ce qui permet d'entrevoir l'existence de quelqu'un. Tout est toléré… Nous voulions créer un magazine afin que chacun puisse découvrir toutes les choses étranges, drôles et émouvantes que les gens ont ramassées.

Mais nulle part sur le site il n'était fait mention d'une bouteille à la mer semblable à celle qui s'était échouée sur le rivage de l'île de Sheppey.

*
* *

Le seul élément concret, irréfutable dont je disposais sur la vie de l'auteur, c'est qu'elle avait visionné le film *Une bouteille à la mer*. Avait-elle emprunté d'autres passages de la lettre, peut-être à des œuvres littéraires que je ne connaissais pas ? C'était une question que je commençais à me poser. Je réfléchissais à la démarche à entreprendre pour obtenir un conseil lorsque le courrier du matin m'apporta le dernier numéro du journal des Anciens de Cambridge. Après la lecture de *Lacan expliqué aux débutants*, avec lequel je me débattais depuis plusieurs heures, l'arrivée de cette revue était en comparaison une source de répit. Le premier article dressait le portrait du nouveau directeur, un professeur de littérature française émérite qui se trouvait être également, par une merveilleuse coïncidence, un spécialiste de Lacan. Cela me parut de bon augure. Un professeur de littérature française doté de connaissances en psychanalyse lacanienne… Que demander de plus ? Ma requête de rendez-vous rencontra un franc succès. Le professeur était intrigué.

CHAPITRE 12

Les grandes portes en bois étaient fidèles à mon souvenir. Anciennes, lourdes et imposantes, elles étaient conçues pour protéger la sérénité des élites de l'université du bruit de la foule. Au-delà s'étendaient la pelouse en forme de O parfait et, au fond de la First Court, l'entrée de la résidence du principal. Durant mes années passées à Cambridge, j'avais suivi ma propre route et je n'avais jamais été invitée à franchir ce portail. Les vingt années qui s'étaient écoulées depuis mon passage dans ces lieux ne représentaient qu'une courte respiration dans l'histoire du *college*, mais une grande partie de mon existence. Aujourd'hui, j'hésitais devant ce bâtiment, l'œil fixé sur la devise inscrite à son fronton, le « Souvent me souvient » de la fondatrice Margaret Beaufort. Ces mots étaient étrangement appropriés à la situation, à la fois par la langue et par leur signification. Je ne me souvenais pas les avoir remarqués auparavant.

Âgé d'une petite soixantaine d'années, ses cheveux gris effleurant son col, le professeur m'accueillit avec affabilité à l'entrée de sa résidence. Sa courtoisie s'harmonisait parfaitement avec l'opulence et le caractère séculaire de l'établissement, et avec ses Canaletto qui couvraient les murs. Avant de grimper l'escalier en direction de son bureau, il prit un livre sur une immense étagère qui tapissait le couloir menant à une autre aile de la résidence. Je jetai un coup d'œil à l'ouvrage tandis que je montais à sa suite. C'était un recueil des poèmes de Rimbaud.

Nous prîmes place dans des fauteuils profonds. Le professeur se mit à parler avec une aisance, une sensibilité et une perspicacité impressionnantes, au point que je me pris à souhaiter pouvoir moi-même m'exprimer et réfléchir avec autant de cohérence et d'éloquence. Une semaine auparavant, je lui avais adressé une copie de la lettre dans l'espoir qu'il trouverait le temps de se préparer à notre entretien.

– Nous devons envisager la possibilité, commença-t-il, qu'il s'agisse d'une œuvre de fiction et que l'auteur, consciemment ou inconsciemment, se soit immergée dans une tradition littéraire française tonique et vigoureuse lorsqu'elle a composé ce texte. Nous avons affaire soit à un message authentique, soit à un canular complexe qui utilise différents procédés littéraires et celui plus classique de la bouteille à la mer, dans le but de titiller celui qui l'a trouvée sans cependant préciser les circonstances familiales ou les émotions qui y sont décrites.

– Ainsi, vous ne croyez pas à son authenticité ? demandai-je brutalement.

L'idée qu'il puisse s'agir d'une plaisanterie m'avait bien évidemment traversé l'esprit. Mais la possibilité d'un canular littéraire, pas du tout.

– Le texte donne une impression de réalité, concéda-t-il. J'ai le sentiment de lire une sorte de compte rendu sur une expérience et sur des sentiments personnels. Cependant, il faut se rappeler dans le même temps que les textes littéraires ont souvent eux-mêmes cette qualité, celle de révéler des choses personnelles, de partager des pensées intimes, des secrets avec le lecteur. Je me demande si jeter un texte à la mer dans une bouteille… en espérant trouver quelqu'un qui vous lira, n'est pas un geste de publication solitaire, étrange et un peu désespéré. Il s'agit peut-être d'une première étape en vue de la parution d'un artifice littéraire très complexe, même si je préférerais penser que nous sommes face au récit du chagrin d'une mère endeuillée. J'aimerais croire qu'il existe une véritable famille et une véritable situation humaine derrière tout cela, plutôt qu'une œuvre littéraire de plus.

Je n'étais pas convaincue par son argumentation. Pourquoi une personne qui se serait amusée à écrire un pastiche aurait-elle envisagé une méthode de publication aussi peu efficace ?

– Il y a là-dedans un élément qui n'est pas directement de l'ordre de la confession, ou du simple appel au secours, mais qui est amené par une masse d'images et de textes littéraires assez classiques. C'est un élément qui suggère qu'il se passe autre chose, quelque chose de plus que la simple expression d'un sentiment personnel et de deuil. (Le professeur tâtonna en direction de la copie de la lettre que je lui avais envoyée.) Je voudrais vous lire une ou deux phrases qui m'ont frappé parce qu'elles sont plus ingénieuses que ne le réclamait l'occasion. Ces passages indiquent que la volonté d'obtenir un effet littéraire prenait le pas sur la libre expression. (Il trouva l'exemple qu'il cherchait dans la lettre et lut à voix haute :) « Sans prévenir, il s'est dérobé à la vie dans un trop-plein de désirs, un trop vif de vivance, à l'aurore de l'été. »

La phrase contenant l'expression par « le trop-plein de désirs » est en soi assez élaborée. Elle tente de transmettre l'appétit de vivre de ce garçon de treize ans, sa vitalité, son énergie, la multiplicité de ses désirs, de ses projets, etc. C'est déjà un « trop-plein » – c'est-à-dire dans le domaine de la plomberie ou des travaux hydrauliques, un système qui déborde. C'est une phrase très perfectionnée dans laquelle il se passe beaucoup de choses. L'expression suivante, cependant, « un trop vif de vivance » joue sur l'utilisation plutôt inhabituelle qu'a fait l'auteur du mot vivance un peu plus tôt dans la lettre ; là, ce n'est pas d'un débordement dont on nous parle, mais d'une vitalité hors norme, et le terme vivance a ici une acception semi-technique. Cela me donne l'impression que l'auteur s'est entichée de son style littéraire et de son ingéniosité lexicale tout en conservant un regard maternel sur cet enfant disparu, au début, à l'aube, de la fleuraison de son été, « à l'aurore de l'été ». C'est une phrase obsédante. Depuis que j'ai lu cette lettre, je me suis dit qu'il était vraiment extraordinaire que la langue française – maniée par une personne ordinaire et elle semble l'être à bien des égards – puisse être capable d'atteindre ce degré d'intensité au fur et à mesure qu'on avance dans la lecture.

Il hésita un instant et je crois que nous songions tous deux à cette inconnue ordinaire qui avait su nous émouvoir. Le professeur continua son analyse.

– Il y a aussi cette langue qui nous parle des conditions climatiques, des paysages marins, du mouvement des vagues, des vents. C'est une façon de dire que la nature dans son ensemble fait partie intégrante de l'existence et de l'espérance de vie des individus et du désespoir des personnes endeuillées. C'est quelque chose que la poésie française du XIXe siècle fait souvent et de manière très émouvante aussi. On pense à Victor Hugo, par exemple, qui est l'écrivain qui a su, sans aucun doute, orchestrer mieux que quiconque l'harmonisation entre les mouvements de la nature et ceux de la subjectivité humaine. Découvrir une femme apparemment simple qui fasse la même chose avec un tel talent et une telle impétuosité est vraiment impressionnant. Pour moi qui suis un spécialiste de la littérature, il est très émouvant de trouver un langage littéraire utilisé de cette façon, c'est-à-dire comme s'il appartenait au patrimoine de tout un chacun, quelles que soient les interrogations que l'on peut avoir sur son authenticité. Ainsi, c'est plus qu'un simple texte personnel et bouleversant, il nous dit comment on peut utiliser la littérature dans la vie ordinaire, et ce d'une manière qui est en soi convaincante et fascinante.

Jamais je n'avais réfléchi à l'écriture sous cet angle-là, et les paroles du professeur ouvraient devant moi une porte que je n'avais pas encore franchie. Je percevais un nouveau champ de réflexion dont j'ignorais jusqu'à l'existence.

Pendant ce temps, le professeur feuilletait le livre qu'il avait apporté avec lui à l'étage.

– Dans « Dévotion », l'un des plus étranges poèmes en prose de Rimbaud, issu du recueil *Illuminations*, on trouve ce genre de formule, celle d'un hommage rendu à quelqu'un, en levant son verre.

Il lut une partie du poème :

À l'adolescent que je fus. À ce saint Vieillard, ermitage ou mission.

À l'esprit des pauvres…

– J'ai eu longtemps un faible pour Rimbaud, intervins-je alors. Il y a plusieurs années, dans la région de Karakorum, à la frontière de la Chine et du Pakistan, l'une des routes les plus élevées du monde, j'ai rencontré un homme dont le père était agent de la CIA. Je voyageais en bus, lui à bicyclette, et nous nous trouvions pour une nuit dans une auberge. Nous avons sympathisé et, pendant des années, il m'a écrit de différents points chauds du globe – l'Iran, l'Irak, l'Afghanistan, le Chili. Après chacun de ses passages où que ce soit dans le monde, survenaient des coups d'État et des événements violents. J'ai fini par penser qu'il avait adopté la profession de son père et que ses vacances à vélo n'étaient pas si innocentes que ça. Au cours de ses voyages, il emportait toujours avec lui un recueil des poésies de Rimbaud et, les rares fois où il rentrait au pays, il s'installait sur son bateau ancré dans le Pacifique, qu'il avait baptisé *Rimbaud*. Après plusieurs mois ou années d'absence, il était toujours un peu tendu en approchant du dock, inquiet de savoir si ce dernier était toujours à flot, même si depuis l'existence des e-mails il pensait qu'on l'aurait averti s'il avait coulé. Il mettait un masque de plongée et allait inspecter la coque sous la quille à la nage. Puis il vernissait les bateaux des autres pendant plusieurs semaines, histoire de gagner assez d'argent pour se payer quelques mètres de chaînes, du matériel de calfatage ou tout ce qui pouvait servir pour réparer sa demeure délabrée. Après avoir fait le strict minimum pour que le bateau reste à flot, il repartait autour du monde sur sa bicyclette. D'après ce que je sais, le *Rimbaud* n'a jamais navigué nulle part et mon ami continue à faire du vélo, mais à cette époque le caractère romanesque de sa vie et le choix de ses lectures m'ont encouragé à mieux connaître le poète.

– Dans ce poème de Rimbaud, « Dévotion », la formule est utilisée avec une grande ingéniosité, reprit le professeur. À la fois comme une façon de rendre un hommage mais aussi d'explorer sémantiquement et lexicalement les différentes significations de la préposition « à ». Il y a quelque chose de très approchant dans le début de cette lettre ; l'auteur liste simplement les destinataires qu'elle souhaite : « à tous les navires… » mais elle relie des fils disparates afin qu'on sente qu'ils sont tissés ensemble, que différentes choses ont été réunies pour former une toute nouvelle combinaison. Et ce canevas d'aspect ordinaire se complique – on pourrait dire se complexifie – au fur et à mesure des phrases. Donc, dès le début, on se trouve devant quelque chose qui ressemble à de la littérature par opposition à un texte qui ne serait qu'une simple confession.

Je lui fis remarquer que bien qu'il me semblât que la femme s'adressait d'abord à tout le monde, il devenait progressivement évident que la lettre ne parlait qu'à son fils. Le professeur estimait également que le passage où elle citait son prénom, Maurice, possédait une grande puissance dramatique.

– Mais ensuite elle se met à parler de son amie, reprit-il, qui devient donc codestinataire de la lettre. Son nom apparaît un peu comme une apothéose dans le tout dernier paragraphe. Ainsi, on voit émerger une sorte de drame triangulaire entre Maurice, le fils, et Christine, l'amie destinataire. Il y a certaines choses qu'on ne peut dire à son fils que par l'intermédiaire d'une tierce personne.

Le professeur suggéra que c'était peut-être cette amie qui avait poussé l'auteur de la lettre à traduire ses sentiments en mots, puis qui l'avait aussi incitée à lancer cette bouteille à la mer comme dans un geste d'exorcisme et de catharsis. D'un côté, il estimait que le fait de mentionner brutalement un tiers à la fin de la lettre ajoutait une indéniable touche personnelle. De l'autre, il se demandait « si la création de ce même trio n'était pas la surimpression d'une certaine sorte de style littéraire – une construction littéraire réellement très élaborée – sur ce qui aurait été sans cela une masse d'impressions intimes dénuée de forme ».

Je lui fis remarquer que s'il s'agissait d'un artifice littéraire, je trouvais étrange qu'il n'intervienne que dans les toutes dernières phrases de la lettre. Le professeur acquiesça dans une phraséologie complexe.

– Le fait d'avoir placé cet élément à la fin m'incline à penser que cela corrobore la théorie de l'authenticité plutôt que celle du canular.

À cet instant, j'abordai avec hésitation le sujet de la psychanalyse, bien qu'effrayée à l'idée d'être ensevelie sous un jargon lacanien incompréhensible. Le professeur s'empara avec avidité de la question. À ses yeux, l'apparition de Christine à la fin de la lettre permettait de faciliter le dialogue et de débloquer la situation entre les deux autres protagonistes.

– Et ce afin que Christine, que l'auteur ait ou non une relation avec elle, agisse comme un filtre ou un chargé de pouvoir, faisant ainsi évoluer l'ensemble de la narration dans une nouvelle phase.

Je poussai un soupir de soulagement. Cette explication était assez claire et intelligible. Il n'avait même pas prononcé le nom de Lacan.

Bien que le professeur eût déjà abordé le sujet des influences littéraires de l'auteur, je le pressai de m'en dire davantage.

– Pouvez-vous déduire, d'après la lettre, le genre de livres qu'elle a lus ? demandai-je.

Il avait visiblement réfléchi à la question.

– Je pense qu'elle a lu beaucoup de poésie du XIXe siècle, écrite par Hugo, Rimbaud, Baudelaire, peut-être Lamartine et qu'elle a également une bonne connaissance de la littérature en prose de la même époque, ce qu'on appelle souvent prose poétique ou poèmes en prose. Ce sont deux genres distincts ou des sous-genres, mais ils tendent à donner la même écriture : l'interrelation entre les sentiments humains et la nature, et la combinaison des deux – nature et sentiment – à l'intérieur de la syntaxe. On en trouve des exemples absolument partout dans la littérature française du XIXe siècle.

Je lui demandai s'il avait noté des emprunts précis à d'autres œuvres.

– Non, fit-il en secouant la tête avec tristesse. Je regrette d'en être incapable, parce que je ne peux pas m'empêcher de me dire qu'en tant que spécialiste de la littérature française, je devrais être en mesure de repérer certaines choses. Ce que je retiens de cette lettre, c'est le sentiment d'une immersion totale dans la poésie française et la prose poétique du XIXe siècle. C'est une langue qui parle d'exaltation et d'élévation de l'âme, une langue d'une forte intensité émotionnelle qui s'intègre elle-même à une autre langue que je connais moins bien, celle de la consolation religieuse. Il existe, je crois, bon nombre de brochures et d'opuscules qui parlent du néant, de la douleur, du deuil et de l'apaisement, de l'importance d'une vie après la mort, qu'elle soit terrestre ou céleste. Il y a des instants où, grâce à une originalité personnelle ou simplement à des emprunts plus astucieux, et plus habiles, à d'autres sources, la langue devient nettement plus forte. Il distance très nettement la littérature biblique populaire et se transforme en quelque chose de plus riche, de plus rare, en une littérature dotée d'une force d'expression suralimentée. Bien sûr, j'aimerais penser – on est toujours à l'affût de génies inconnus – qu'on a affaire ici à une personne ordinaire qui s'est brusquement hissée vers de nouveaux sommets d'expression et qui est devenue elle-même écrivain pour atteindre son objectif. (Il s'arrêta puis haussa les épaules.) Mais ceci n'est possible que s'il y a dans le texte des emprunts d'une forme plus astucieuse.

Comme le professeur avait parlé de la littérature de consolation religieuse, je lui demandai ce qu'il pensait des notions New Age qui imprégnaient la lettre.

– Elle a trouvé tout cela dans la littérature New Age internationale, essentiellement française, ou traduite de l'américain. Si j'hésite à affirmer que c'est l'élément essentiel d'explication du texte, c'est parce que le New Age, tel que je le comprends, a tendance à se laisser aller à des solutions imaginaires, quelles qu'elles soient ; il enveloppe les choses dans un discours guimauve et spirituel. Cet auteur réintroduit au contraire, dans ces phrases, la notion de mortalité dans ce qu'elle a de plus pesante : « Tu étais là avec moi, tu étais à moi, tu étais proche de moi et tu es parti, et il n'y a rien que je puisse faire pour lutter contre cela. Et je ne peux raconter de nouveau l'histoire de ta disparition, du vide que j'ai subi avec ton départ que par l'écriture. » Il y a donc également quelque chose de terre à terre, de grave et de minimaliste dans ce texte. Elle raconte ce que ressent une mère endeuillée, cette absence inéluctable qui imprègne toute sa vie. Et de plusieurs manières, cela va à l'encontre de l'optimisme du New Age et de sa façon de voir la vie en rose.

Le professeur avait mis le doigt sur un point essentiel de la lettre, son aspect lugubre, la réalité inexorable de la mort de Maurice.

Pensait-il qu'il s'agissait d'un écrivain professionnel ?

– Je dirais non. C'est quelqu'un qui a écrit dans le passé et qui a beaucoup lu. Il s'agit peut-être d'un professeur qui a l'habitude d'aider les autres à écrire, qui est habitué à rédiger des lettres personnelles à des amis et à de la famille. Elle est fière de son talent. Mais ce n'est pas quelqu'un qui en a fait son métier. Il n'y a pas d'indications qui montreraient un professionnalisme ; la calligraphie, la ponctuation et occasionnellement l'orthographe indiquent qu'on a affaire à l'épanchement spontané d'un style littéraire dirigé vers l'expression de sentiments intimes.

Je parlai alors au professeur du film dont l'auteur avait recopié quelques paragraphes. Je l'avais d'abord laissé s'enferrer dans son analyse littéraire, mais il avait contourné le piège. Après avoir exprimé son soulagement d'avoir évité les déductions erronées et de ne pas avoir cité de sources littéraires sur ces passages tirés d'*Une bouteille à la mer*, il inclut sans ciller cette information dans son explication de texte.

– Bien sûr, le fait de savoir qu'il y a derrière tout cela un film hollywoodien amène à se poser toutes sortes de questions sur l'authenticité de cette lettre.

Cela dit, on peut penser que le film a conféré un pouvoir à l'auteur et lui a suggéré le cadre dans lequel elle pourrait exprimer des choses fortement personnelles. Cela lui a permis de délivrer un message, ce qu'elle n'aurait pas pu faire sans cela.

« À moins que cette solution d'utiliser une bouteille à la mer, qui est en soi une idée cliché, ne fasse simplement partie des fluctuations de la communication humaine et n'ait aucune signification particulière ? C'est le côté cliché de cette solution de la bouteille à la mer qui me questionne. C'est quelque chose qui a le pouvoir de s'imprimer dans notre imagination.

Comme je n'étais pas certaine de le suivre dans son raisonnement, j'attirai son attention sur la calligraphie, mais il ignora ma remarque en me disant qu'à ses yeux elle ressemblait à celle de n'importe quelle écolière française. Cependant, il tenait réellement à m'avertir :

– Face à ce genre de document, il faut faire preuve d'une sorte de suspicion méthodologique si l'on veut mener à bien la tâche quasi médico-légale dans laquelle vous semblez vous être engagée ; c'est-à-dire qu'il faut comprendre le monde émotionnel dans lequel vit l'auteur. Si l'on veut entreprendre une telle mission, on doit se demander : « Est-ce que ce que je vois se trouve vraiment là ? Est-ce que les événements qui se déroulent sous mes yeux ne sont pas en fait survenus dans un passé plus éloigné ? » Vous devez vous méfier des fausses pistes et trouver les solutions directement liées au problème. Je ne dirais rien de plus que ce que vous dirait Hercule Poirot.

Pour l'heure, j'étais un peu perdue.

– Comment feriez-vous pour retrouver l'auteur ? demandai-je.

Le professeur retourna ma question et entreprit d'analyser mes motivations :

– Je pense que c'est votre envie de la retrouver qui est intéressante en soi. Découvrir des manuscrits anonymes, qu'ils soient datés d'une période où ils abondaient, comme le Moyen Âge en France, ou qu'ils soient contemporains, déclenche toujours le désir de rechercher l'auteur. Si je trouve une partition de musique orchestrale non signée et dépourvue d'indices qui me permettraient d'identifier le compositeur, j'ai envie de savoir par des preuves intrinsèques ou extrinsèques s'il s'agit de Schubert, Beethoven ou Mozart… Et c'est cette envie qui est en soi intéressante et qui mérite des conjectures. Il y a une autre façon d'approcher cette question : ce serait de dire que le monde est rempli de textes, de révélations et de confessions personnelles. Dans le métro à Londres, on surprend des fragments de conversation des usagers et cela nous entraîne temporairement dans l'existence d'autrui. Prenez les discussions sur les mobiles, par exemple. Il serait assez bizarre de vouloir en identifier les interlocuteurs, de chercher à les retrouver, d'établir leur biographie et de leur donner une place particulière dans l'Histoire. Face à un tel matériau, il vaut mieux le laisser filer, être balayé par un autre, en se disant qu'il fait partie de la fluctuation de la notion de sens dans le monde des humains.

Cela me fascinait d'imaginer toutes ces vagues de textes et leur signification déferlant sur moi où que j'aille : je me voyais peu à peu tomber dans la folie à force d'essayer d'identifier d'où venaient tous les bouts de conversation que j'entendais.

– Mais vous, vous refusez que cette lettre fasse partie de cette fluctuation inhérente au monde des humains, poursuivit le professeur. Vous voulez qu'elle ait un auteur. Et vous voulez être capable de voir cette personne. Peut-être de la rencontrer et de lui demander ce qui s'est réellement passé – vous êtes-vous remise de votre deuil ?

« Ce n'est pas que je trouve cette envie particulièrement suspecte, parce que je l'ai déjà éprouvée moi-même en découvrant d'anciennes correspondances. Mais vouloir que tout soit réglé, identifié, étiqueté et rangé dans une sorte de musée qui abriterait tous les textes importants n'est qu'une des façons d'aborder ce style d'actes de communication. On pourrait tout aussi bien le considérer comme un document humain précieux tel qu'il est, que son auteur soit en vie ou non, et laisser les choses ainsi. Au lieu de cela, vous vous lancez dans une sorte de quête, une quête du Graal, pour retrouver l'auteur et la situation familiale et concrète qui se cache derrière ce texte. Cette façon de voir les choses va vous demander un gros travail. Je n'aimerais pas être à votre place.

Devais-je suivre le conseil du professeur et ranger la lettre dans ma mémoire, me consoler en me disant que le temps que j'avais consacré à rechercher cet auteur servait mon expérience, que cela m'avait appris des choses sur moi et de nouveaux mots français. Peut-être... mais à chaque fois que j'envisageais de tout laisser tomber, je me disais : « Allez, encore une dernière tentative – un dernier e-mail, un dernier coup de téléphone, un dernier saut à la bibliothèque. La réponse est peut-être au coin de la rue. »

Reprenant sa casquette d'enseignant, le professeur attira mon attention sur l'évolution que connaissait la littérature française actuelle.

– Il y a un certain prestige aujourd'hui à raconter des vies ordinaires, à rendre compte du quotidien des gens normaux faisant des choses normales. Durant les années 1960 et 1970, les textes étaient tellement obsédés par leur propre mécanisme intrinsèque et leur relation avec la littérature contemporaine et celle des périodes précédentes que le contenu humain était soit inexistant, soit rendu totalement inaccessible à cause du style littéraire bourré d'affectation. Mais dans les années 1990, l'idée que la littérature ne devait pas viser à traiter les problèmes humains dans leur généralité mais à s'intéresser davantage aux détails a pris de l'essor. Quelque chose dans cette lettre suggère que l'auteur en a conscience.

La conversation était arrivée à son terme et j'étais loin d'avoir découvert l'identité de l'auteur de la lettre. Tandis que le professeur me raccompagnait à la porte, je lui demandai s'il avait trouvé ce texte émouvant.

– Effectivement, il m'a ému, répondit-il d'un ton un peu surpris. Je ne m'y attendais pas spécialement. Je suppose que j'éprouvais quelques soupçons à cause de la notion même de bouteille à la mer. Je me disais qu'il était très, très improbable que quelque chose d'extraordinaire puisse s'échouer sur la plage d'une côte anglaise. Mais j'ai trouvé l'inventivité de l'écriture, son rythme et sa franchise très obsédants. On a l'impression d'un récit très personnel qui se déroule paragraphe après paragraphe. Moi aussi, j'avais envie d'en savoir plus sur son auteur, sur la façon dont Maurice est mort, sur ce qui a conduit à sa disparition. Et comment cette femme avait pu penser que cette lettre serait une réponse appropriée à la tragédie qu'elle avait vécue. Toutes ces choses ont piqué ma curiosité. Mais plus encore, elles ont fait naître mon empathie. J'ai montré cette lettre à mon épouse qui a eu le même genre de réaction. (Il se tut un instant.) En fait, cela l'a émue aux larmes.

Alors que je traversais la First Court et que la cloche de la chapelle rompait la tranquillité séculaire des lieux, je réfléchissais à l'incroyable voyage effectué par cette lettre qui, après avoir quitté une plage désolée du Kent, avait fait pleurer la femme d'un professeur de Cambridge.

CHAPITRE 13

Qui est mon lecteur ?... Chaque livre est comme une bouteille lancée dans la mer avec l'espoir qu'il atteigne une plage différente. Je suis très reconnaissante lorsque quelqu'un le trouve et le lit, particulièrement quand il s'agit d'une personne comme Noriega.

Isabel Allende, dans *Mon pays réinventé*, après avoir appris que, lors de son arrestation, le général Noriega avait deux livres en sa possession, la Bible et son roman, *La Maison des Esprits*.

Le professeur avait déclaré que l'auteur de la lettre était imprégné de l'esprit de Victor Hugo, de Rimbaud et d'autres écrivains du XIXe siècle. Je réalisai que je connaissais si mal la littérature française que je n'avais même pas vu la comédie musicale *Les Misérables* ! Il y avait là un abîme culturel à combler. Dans mon ignorance, Victor Hugo me semblait le plus accessible.

Je commençai avec *Les Misérables*. Certaines phrases me sautèrent au visage, si tant est que quelque chose puisse sauter d'un livre de plus de mille pages. Un homme ayant glissé par-dessus bord nage pendant des heures dans une lutte sans merci contre la mort. « Il se sent enseveli à la fois par ces deux infinis, l'océan et le ciel ; l'un est une tombe, l'autre est un linceul ». L'auteur de la lettre avait utilisé ces mêmes images du ciel et de la mer, mais pour elle le ciel était une issue plutôt qu'un linceul. C'était le seul point à relever, et ce n'était pas très probant vu la longueur du roman.

Trois ans après *Les Misérables*, Hugo a écrit un long chapitre intitulé *La Mer et le Vent* qui était censé initialement faire partie du roman *Les Travailleurs de la mer*. On peut y lire : « On entend le sanglot de la création. La mer est la grande pleureuse. Elle est chargée de la plainte ; l'océan se lamente pour tout ce qui souffre. » Dans le même extrait, il reconnaît l'appel de sirène de la mer au cours d'une journée ensoleillée quand « l'hilarité grandiose du ciel clair s'étale sur la mer » et que « toute l'immensité n'est qu'une caresse », « le flot soupire, et le récif chante, et l'algue baise le rocher »... Mais, bien sûr, l'auteur de la lettre n'avait pas jeté la bouteille dans les vagues lors d'une douce journée d'été.

Je me tournai ensuite vers une autre œuvre de Hugo, *L'Homme qui rit*. L'histoire se déroule sur la côte anglaise pendant une nuit de tempête en janvier 1690. Des pirates de retour d'un pillage abandonnent leur dernière victime, un enfant que

« la chirurgie diabolique [l']a transformé en monstre destiné à l'amusement du champ de foire ». Avec leurs couteaux, ils ont ouvert un sourire jusqu'aux oreilles sur le visage de l'enfant. Cependant, le châtiment frappe le navire des pirates qui rencontre immédiatement une succession de terribles orages. Il commence à couler, et tout espoir de fuite ou de sauvetage est rapidement abandonné.

Le médecin du navire conseille au reste de l'équipage : « Jetons à la mer nos crimes. Ils pèsent sur nous. C'est là ce qui enfonce le navire. Ne songeons plus au sauvetage, songeons au salut. » Il rédige un message dans lequel il avoue leur crime tandis que la lueur des torches illumine les visages blêmes des marins. Quelques sanglots brisent le silence. Le navire continue de couler.

Un à un, ils apposent leur nom au bas du document, l'un des marins boit la dernière goutte d'alcool contenue dans une flasque, ils glissent le parchemin dedans, bouchent la gourde et plongent le col dans du goudron. « Maintenant nous allons mourir », annonce le docteur en jetant la torche par-dessus bord. Dans la brusque obscurité, tous s'agenouillent pour prier, sauf le docteur, dont la silhouette se découpe contre les flocons de neige tourbillonnants. Les hommes agenouillés ont de l'eau jusqu'aux épaules. Tandis que le médecin récite les prières, chaque membre de l'équipage crie « Que ta volonté soit faite » dans sa propre langue. Quand le dernier a parlé, on n'entend que le silence. Le médecin baisse les yeux. Toutes les têtes sont sous l'eau ; pas un ne s'est levé. Dans leur remords, ils se sont laissés noyer à genoux. Le médecin prend la gourde et l'élève au-dessus de sa tête. L'épave coule et tandis qu'elle commence à disparaître sous les flots il murmure la fin de la prière. Son buste reste hors de l'eau un moment, puis seulement sa tête, bientôt il n'y a plus que son bras tenant la gourde comme s'il la montrait à l'infini.

Le bras disparaît. « La profonde mer n'eut pas plus de pli qu'une tonne d'huile. » La neige continue de tomber.

Quelque chose surnage, et s'en va sur le flot dans l'ombre. C'est la gourde goudronnée que son enveloppe d'osier soutient.

Finalement cette bouteille à la mer révélera l'identité des bourreaux de la jeune victime des marins qui obtiendra sa réintégration à la Chambre des lords.

L'ancêtre de tous ces amoureux de l'océan du XIXe siècle est Jules Michelet (1798-1874) qui admit dans son *Journal* avoir conçu l'idée de son œuvre majeure, *La Mer*, après avoir fait l'amour avec sa femme. Suivent des pages et des pages de descriptions des vagues, des plages, des courants et des tempêtes. Il parlait de l'océan comme d'une « mer de lait », blanchâtre et visqueuse, avec ses propriétés séminales ou maternelles d'une épaisseur transparente, capables de donner la vie. Mais il avait un profond respect pour la mer, pour son rôle de frontière inamovible entre deux sphères d'existence, d'obstacle invisible qui, aux yeux de l'auteur de la lettre, apparaissait aussi comme un mur transparent infranchissable : « L'eau pour tout être terrestre est l'élément non respirable, l'élément de l'asphyxie. Barrière fatale, éternelle, qui sépare irrémédiablement les deux mondes. »

De façon similaire, la bouteille à la mer était maintenant séparée de son expéditrice par son voyage dans les flots.

Le professeur avait raison. Non seulement le style de l'auteur de la lettre était influencé par Hugo et ses contemporains, mais le concept même de bouteille à la mer était un sujet que ces hommes barbus avaient à cœur. Onze ans avant *L'Homme qui rit* de Hugo, Alfred de Vigny, soldat et fils de soldat, a écrit un long poème intitulé « La Bouteille à la mer », sous-titré « Conseil à un jeune homme inconnu ».

Le texte raconte l'histoire d'un jeune capitaine dont le bateau devient incontrôlable. Nul vaisseau n'apparaît pour le secourir, la nuit tombe et il se résigne à son sort. Il écrit ce message…

Aujourd'hui, le courant nous entraîne,
Désemparés, perdus, sur la Terre de Feu.
Le courant porte à l'est. Notre mort est certaine :
Il faut cingler au nord pour bien passer ce lieu.
– Ci-joint est mon journal, portant quelques études
Des constellations des hautes latitudes.
Qu'il aborde, si c'est la volonté de Dieu !

Tandis que le bateau est emporté par le courant vers sa destruction, le capitaine glisse son message dans une vieille bouteille de champagne au col vert, jauni par les vieilles bulles de Reims. Il se souvient du jour où il a porté un toast à ses amis avec cette même bouteille. Sur trois cents membres d'équipage, il n'en reste que dix. L'eau lui arrive déjà aux genoux et atteint bientôt ses épaules… Comme le médecin du navire dans le roman de Hugo, il lève l'un de ses bras nus vers le ciel. Tandis que le bateau coule, il jette la bouteille. « Il sourit en songeant que ce fragile verre portera sa pensée et son nom jusqu'au port. » On donnera son nom à un nouvel astre et il est heureux de penser qu'avec cette bouteille il a vaincu la mort.

La bouteille du jeune capitaine flotte sur l'océan, survivant aux courants, aux icebergs, aux noirs chevaux de la mer. Un jour, sur la mer calme du Pacifique, parmi les vagues azur, un navire passe. On a repéré la bouteille et une petite embarcation est lancée à la mer pour aller la chercher. Mais soudain, au loin, on entend le canon des corsaires. On rappelle d'urgence le canot vers le vaisseau qui repart rapidement pour éviter d'être capturé. Nos espoirs – ceux du lecteur – qui ont été éveillés sont maintenant déçus.

« Seule dans l'océan, perdue comme un point invisible en un mouvant désert », la bouteille continue de flotter, son cou maintenant couvert d'algues et de goémons.

Enfin, « des vents qui soufflent des Florides l'entraînent vers la France – évidemment – et ses bords pluvieux ». Un pêcheur la repère, prisonnière des rochers, et court chercher un savant pour qu'il lui explique sa prise.

Le sage déclare que le message de la bouteille est l'élixir de la science et de la connaissance : « Le vrai dieu, le dieu fort est celui des idées. »

Le jeune capitaine avait eu raison de livrer sa connaissance aux vagues. Le poème s'achève sur ces mots :

« Jetons l'œuvre à la mer, la mer des multitudes :

– Dieu la prendra du doigt pour la conduire au port. »

*

* *

Ces histoires de bouteilles à la mer riches d'emphase et de romantisme, interprétées par des hommes héroïques sombrant peu à peu dans les flots, le bras levé comme celui la statue de la Liberté, avaient sans doute une autre puissance à l'époque où elles avaient été écrites. Cependant, la véritable lettre, celle de la mère de Maurice, était sincèrement romantique. Elle avait en elle quelque chose qui faisait penser aux *Hauts de Hurlevent.* Mais je n'avais trouvé dedans aucune phrase d'emprunt. Ses lignes ne provenaient pas de ses œuvres du passé, et j'étais toujours aussi loin du but que je m'étais fixé. Il était temps de changer de stratégie.

CHAPITRE 14

Je m'installai devant mon téléphone avec la carte-lettre orange que l'artiste peintre m'avait donnée et me préparai à contacter les trois personnes qu'elle m'avait recommandées.

La graphologie, étude de l'écriture. Sans doute pourrait-elle me révéler l'âge de la mère, son caractère, peut-être même son pays ou sa région d'origine. Les juifs, les Chinois et les Romains avaient conscience que l'écriture pouvait révéler la personnalité d'un individu et l'on trouve des textes sur le sujet dans l'Italie du XVIIe siècle. On estime que la graphologie moderne est née du travail d'un groupe de prêtres français du XIXe siècle réuni autour de l'archevêque de Cambrai. Le terme lui-même fut créé par l'abbé Jean-Hippolyte Michon (1806-1881) qui fonda la Société de graphologie à Paris, en 1871, et écrivit plusieurs traités sur le sujet, établissant ainsi la prééminence des Français dans ce domaine.

De célèbres amateurs attirés par la science de l'écriture, comme Thomas Gainsborough, Edgar Allan Poe, Robert Browning, et Johann Wolfang von Goethe aidèrent à sa popularisation.

La graphologie, dont la validité scientifique n'est pas prouvée, est souvent classée avec la phrénologie et la physionomie. L'un des plus importants experts judiciaires de documents et de faux en écriture a néanmoins admis qu'elle pouvait fournir des indices révélateurs sur le profil psychologique, même si « le support n'est pas assez important pour que la graphologie puisse prétendre à ce que l'écriture reflète les variables d'une personnalité ».

Cependant, avant cela, d'autres experts avaient affirmé qu'« à chaque fois qu'on écrit, on imprime automatiquement, et inconsciemment, son individualité dans son écriture ».

Une chose est sûre : la graphologie est en mesure de donner des informations sur le pays où l'on a appris à écrire. L'auteur de la lettre avait assurément une calligraphie typiquement française ; le professeur avait soulevé la question et j'avais moi-même remarqué que son écriture était similaire à celle de plusieurs de mes amis français, et ne ressemblait en rien à celle des Allemands ou à la mienne. Bien qu'on formât ses lettres différemment suivant les pays, il n'était pas certain que l'art de la graphologie soit assez sophistiqué pour déduire, par exemple, si l'auteur était une Française ou une Belge francophone. C'était loin d'être une science exacte, même en France où elle jouit pourtant d'un certain crédit.

Mais peut-être les impressions générales offertes par l'analyse d'une écriture étaient-elles moins indéfinissables que l'évaluation de la justesse scientifique de la graphologie.

Même si je n'étais pas assurée d'obtenir des réponses qui m'aideraient à remonter jusqu'à l'auteur de la lettre, je pensais néanmoins récolter quelques informations sur sa personnalité et ses motivations. Peut-être cela devenait-il aussi important que de la retrouver ?

*
* *

La graphologue habitait dans une petite tour en banlieue parisienne. Elle était poète, et son minuscule appartement était rempli de fleurs et de morceaux de papier couverts de courtes phrases griffonnées. L'endroit lui ressemblait : c'était une petite femme alerte, vêtue d'imprimé fleuri, dont la gaieté masquait un soupçon de fragilité.

Les présentations achevées, je débouchai la bouteille d'Evian. Je n'avais pas touché à l'original de la lettre depuis que je l'avais lue pour la première fois et je n'avais même jamais ouvert la bouteille depuis que mon amie, la promeneuse de chiens, me l'avait donnée. Pour les besoins de mon enquête, j'utilisais la photocopie couleur que j'avais réalisée après avoir reçu la lettre. Mais la graphologue avait besoin de voir l'original, la pression du stylo sur la feuille, la forme de l'écriture. Nous déroulâmes soigneusement le petit cylindre et aplatîmes les feuillets. La mèche de cheveux s'était entortillée sur elle-même et offrait l'aspect approprié d'un point d'interrogation. Il était impossible de savoir si elle était bouclée à l'origine, ou si cette forme lui avait été donnée par le rouleau de papier. Nous fixâmes la mèche dans un silence abasourdi. Il devenait soudain évident que nous étions face à des cheveux appartenant à deux personnes distinctes, entrelacés comme des amants. Un châtain clair et un brun foncé.

La graphologue fut parcourue d'un frisson et gonfla ses joues dans un effort pour se détendre. Le petit bruit fit disparaître la tension qui régnait dans la pièce. Elle parut s'éclaircir les idées et saisit la lettre :

– C'est très compact, très bien organisé, lança-t-elle d'emblée en s'efforçant d'adopter un ton professionnel, afin d'endiguer la vague d'émotions qui nous avait submergées. Il y a un grand respect des normes : les marges sont très nettes, surtout celle de gauche. Cela indique un profond désir de clarté, il n'y a rien de désinvolte là-dedans. Cela dénote un déficit d'imagination. Beaucoup de contrôle, un grand désir de maîtrise. C'est très organisé, répéta-t-elle. Précis, rigoureux, cela révèle de la constance, de la persévérance… Elle est tenace, elle va jusqu'au bout de ce qu'elle a décidé. Cela montre une cohésion, une fermeté. C'est très compact, très dense.

Elle prit quelques minutes, le temps de la réflexion.

– Il y a quelque chose d'obsessionnel, reprit-elle, de dépressif, de monotone dans l'écriture. C'est comme si elle étouffait dans son propre espace.

Elle pointa du doigt les interlignes couverts d'encre bleue et les intervalles blancs qui offraient un contraste saisissant.

– Ce qui est blanc, c'est ce qui n'est pas dit, m'expliqua-t-elle, c'est lié à l'écoute, au subconscient. Le subconscient est très – peut-être trop – sous contrôle.

Elle me fit remarquer qu'on avait tracé des lignes sur la feuille avant d'écrire la lettre, ou qu'on avait glissé dessous, un papier réglé afin d'écrire droit. En français, on appelait ça un guide-âne. L'auteur avait utilisé soit un stylo à encre, soit un Rollerball de bonne qualité, mais la graphologue penchait pour la première hypothèse. La femme inconnue avait passé un correcteur sur une faute. Ce n'était pas une lettre écrite sous l'emprise d'une puissante émotion. On avait d'abord rédigé un brouillon puis on l'avait recopié, assis devant une table, sur un papier à lettres convenable.

– L'auteur a un niveau d'instruction relativement élevé, poursuivit la graphologue, bien qu'elle fasse des fautes d'orthographe élémentaires, et quelques erreurs grammaticales. Certains verbes ne sont pas accordés, peut-être sous l'effet de l'émotion ou simplement parce qu'elle a une orthographe qui laisse à désirer. C'est une femme très introvertie, qui retient les choses.

La graphologue m'indiqua les minuscules terminaisons ascendantes à la fin de plusieurs mots.

– Ça, me dit-elle, cela fait partie des éléments qu'on peut le moins modifier dans une écriture. C'est une personne qui se maîtrise très bien, tout semble très discipliné chez elle, mais il y a aussi une dimension réactive, presque violente. Elle offre une apparence de calme, mais elle bouillonne d'émotions intérieurement. C'est presque comme si elle ne s'autorisait pas la spontanéité, cependant il y a tous ces petits épisodes explosifs. C'est comme si elle tentait de toutes ses forces de dominer ses sentiments. Sa recherche du plaisir est très restreinte, très bridée. Je ne suis pas certaine qu'elle soit parvenue à trouver sa liberté intérieure.

« Il y a une nuance de culpabilité ici, peut-être un peu de masochisme. Une névrose obsessionnelle peut-être. Elle a eu une vie très organisée dans laquelle elle n'a jamais donné libre cours à son imagination. Elle donne une impression de sérénité, mais la tempête fait rage en elle. Sa vie ou son éducation ont émoussé son caractère, mais c'est quelqu'un de profondément expressif, de vibrant, de vivant.

En haut, à chaque coin gauche des pages, on apercevait un huit couché sur le côté, le symbole de l'infini. Au début et à la fin de la lettre, il y avait deux signes en forme de V qui représentaient soit une encoche, soit une mouette stylisée. La graphologue pensait qu'il s'agissait d'oiseaux et je me rappelais vaguement que dans le film *Une bouteille à la mer* Kevin Costner avait un papier à lettres orné d'une sorte de dessin de mouette au-dessus. La femme inconnue avait peut-être cherché à imiter le film, de la même façon qu'elle lui avait emprunté des passages. À moins que cela ne reflétât un désir de liberté, l'ascension métaphorique de la mer au ciel, qu'on retrouvait dans les images contenues dans la lettre.

– La densité du texte suggère qu'elle est peut-être incapable de tenir ses sentiments à distance. Il est possible que son jugement soit affecté par cet excès d'émotions, par son incapacité à s'en protéger.

La graphologue me montra comment elle était arrivée à cette conclusion, en pointant du doigt la façon dont les boucles des lettres s'entrelaçaient de lignes en lignes.

Le « g » de « infatigablement », ligne 17, s'emmêlait au « f » du mot « froid » dans la phrase en dessous, et ce phénomène se répétait fréquemment dans la lettre.

– Elle a certainement un besoin important de s'exprimer, un besoin de parler, de se décharger d'un fardeau, même devant son fils.

Je lui demandai quel âge elle donnait, à peu près, à l'auteur de la lettre.

– Ce n'est pas une écriture juvénile. Ce n'est certainement pas une adolescente, mais je ne pense pas non plus qu'elle soit très âgée. Son écriture est conventionnelle et dénote une certaine vitalité, continua la graphologue. Elle n'est pas amoindrie par la maladie ou la prise de médicaments. Il y a une tension vigoureuse dans l'écriture.

« C'est une femme intelligente, précise, rigoureuse qui semble avoir un don pour les chiffres. Peut-être est-elle comptable… Il y a un sentiment d'accomplissement, aucun amateurisme ici. Ce n'est pas une personne superficielle. Elle se fie à son expérience passée. C'est une femme d'aujourd'hui, mais qui a besoin de points de référence. Il n'y a aucun signe de nomadisme. Ce n'est pas quelqu'un qui attraperait un sac à dos pour partir faire le tour du monde. Elle a besoin d'une sécurité quotidienne, d'une vie solidement structurée.

La graphologue avait trouvé son rythme.

– Elle a l'air douce au premier abord, très douce, mais je crois qu'elle peut se montrer autoritaire lorsqu'on vit avec elle. Elle n'est pas facile à influencer. Elle est globalement de nature sensible, mais – il me semble – assez susceptible et elle se retranche facilement derrière sa dignité. L'écriture dénote peut-être un certain manque d'écoute. Il y a une dimension anale chez elle, au sens freudien du terme, et aussi un côté masculin. Son écriture est plutôt masculine. Il n'y a pas beaucoup de signes de féminité.

« Elle est courageuse, digne, fidèle. Pas très drôle, mais on peut compter sur elle. Son écriture révèle qu'elle a une certaine présence, mais elle est souvent maladroite, peu à l'aise dans l'espace, son écriture est assez malhabile.

La graphologue ne cessait de revenir à sa première impression, ce sentiment d'une maîtrise totale, presque suffocante, qui masquait un chaudron émotionnel. Mais à moins de trouver l'auteur de la lettre, comment saurais-je si cette description, celle d'une femme courageuse, précise, bien organisée, obsessionnelle, introvertie, sensible, sérieuse et fidèle, était exacte, et non pas nourrie par les divagations d'une graphologue amateur pleine de bonnes intentions ?

Après avoir réenroulé les mèches de cheveux dans leur cocon au creux de la lettre, nous roulâmes le papier comme il l'était à l'origine et rangeâmes le tout dans la bouteille au milieu des copeaux parfumés de bois de santal. La graphologue semblait réticente à me laisser partir. Comme beaucoup d'autres à qui j'avais demandé conseil, elle avait été touchée par la prière de cette femme inconnue et voulait connaître le fin mot de l'histoire.

Je passai à l'autre personne inscrite sur la carte-lettre orange : le bulbologue. Ces trois contacts – la graphologue, le bulbologue et la liseuse de tarots – m'avaient été fournis par l'artiste peintre dans un jardin clos de la banlieue parisienne au cours de ce qui s'était révélé une soirée unique. À mes yeux, en français, les mots graphologue, bulbologue, tarologue avaient un cachet magique, séduisant et fascinant qui donnait l'impression que l'énigme pourrait se résoudre sans l'obligation un peu commune de recourir aux médias.

Cependant, la prise de contact avec le bulbologue se révéla presque immédiatement improductive. J'avais espéré qu'il pourrait me dire l'âge de la mèche de cheveux, ou celui du garçon quand on la lui avait coupée. J'avais même commencé à fantasmer en me disant qu'il pourrait y repérer des traces de drogue, ce qui aurait pu expliquer comment il « s'était dérobé à la vie dans un trop-plein de désirs, un trop vif de vivance ».

L'assistante du bulbologue m'expliqua que l'analyse pourrait vérifier la densité osseuse, le niveau de stress, les déséquilibres hormonaux... Mais cette expertise ne devait pas avoir lieu, car la mèche n'avait, bien sûr, pas été arrachée à la racine, mais soigneusement coupée à mi-longueur. D'ailleurs, mon amie, la promeneuse de chiens, avait trouvé étrange qu'une mère aimante puisse jeter une boucle de cheveux de son fils. En tout cas, je reçus une lettre courtoise du bulbologue.

Chère Madame,

Je suis navré de vous préciser que mon analyse n'est valable que si on a le bulbe du cheveu. Grâce aux follicules, on pourrait repérer des chromosomes afin d'analyser les relations familiales, ainsi que des minéraux qui permettraient de déterminer où habitait la personne, pour peu qu'elle ait vécu depuis assez longtemps dans la même zone géographique.

Je vous suggère de passer dans une émission télévisée. Peut-être que la mère se fera connaître. Je pense qu'elle n'attend que cela, puisque pour l'instant elle ne sait pas qu'on a trouvé la bouteille. Cela la réconforterait sans aucun doute de savoir qu'on partage son chagrin. Et si elle accepte d'en parler, cela l'aidera peut-être dans son processus de deuil.

« Passer dans une émission télévisée » n'était pas aussi facile que ça en avait l'air. Il me semblait que ces mèches de cheveux devaient bien receler quelques indices, à condition de solliciter un expert plus conventionnel, et non pas ce bulbologue qui jouait les conseillers funéraires.

Dans chaque grande rue française, et particulièrement dans les quartiers huppés de Paris où je résidais et où la population n'était plus de première jeunesse, on trouvait des laboratoires médicaux dans lesquels les gens pouvaient faire analyser des prélèvements de sang ou d'urine. Je poussai la porte de l'un d'entre eux : pouvaient-ils réaliser un test ADN sur la mèche de cheveux ? Tout en jouant avec son bracelet de montre argenté, la réceptionniste me confirma ce qu'avait dit le bulbologue : c'était impossible. Les cheveux étant dénués de cellules, un test ADN n'était d'aucune utilité.

Lorsqu'elle m'entendit mettre en doute cette affirmation, – en dépit du flou de mes connaissances scientifiques –, la femme m'assura en tapotant sa coiffure compliquée et dénuée de cellules qu'elle était une biologiste hautement qualifiée et qu'à ce titre elle savait qu'elle avait raison.

Pourtant, il me semblait qu'une mèche de cheveux – même sans bulbe – devait porter des traces d'ADN. D'autant qu'il devait bien y avoir des cellules de salive ou de peau quelque part dans la bouteille… Sans doute avais-je basé cette conclusion sur toutes les nuits que j'avais passées devant des thrillers américains.

Afin de découvrir si une analyse ADN de la mèche de cheveux me permettrait d'en savoir plus sur l'identité de Maurice ou de sa mère, je commençai par étudier à fond le procédé. Les lettres ADN signifient acide désoxyribonucléique. En 1984, Alec Jeffreys, un professeur en génétique de l'université de Leicester, annonça qu'il avait découvert l'empreinte génétique ADN, un terme qu'il s'empressa de breveter. Dans la foulée, en décembre 1985, un autre scientifique révéla ce qu'on nomme la méthode PCR – *polymerase chain reaction* – qui sert à copier et amplifier des brins d'ADN des milliers de fois, et ce afin que les scientifiques puissent se doter d'assez de matériel pour poursuivre des enquêtes en expertise légale. Ces découvertes signifiaient que même une minuscule trace pouvait aider à identifier ou éliminer des suspects en déterminant le code génétique unique de chaque individu.

Les implications de l'ADN et de la méthode PCR devinrent bientôt évidentes. Barry Scheck, qui s'illustra plus tard en tant que spécialiste de recherche ADN dans l'équipe chargée de la défense du footballeur américain O. J. Simpson accusé d'avoir assassiné sa femme et son ami, cofonda l'Innocent Project, une association luttant pour les victimes d'erreurs judiciaires. « Nous avons toujours su qu'il devait y avoir des innocents en prison et que leur innocence pourrait être prouvée grâce à l'ADN, a expliqué Scheck. Mais les gens n'ont pas compris alors – et ne comprennent toujours pas –

les étonnantes possibilités qu'offre la technologie. Les procureurs, les avocats de la défense, les médecins légaux, et même les prisonniers et leur famille ne savent pas… que cette tasse dans laquelle vous buvez portera une trace de salive, à partir de laquelle on pourra extraire l'ADN. Ils ne savent pas qu'on peut l'obtenir grâce à la sueur sur le bandeau d'un chapeau. Ils ne savent pas qu'on peut définir le type génétique dans une tache de sang. » Aujourd'hui, ils le savent probablement.

Pour trouver de l'ADN dans un cheveu, on n'a évidemment pas besoin du bulbe. L'ADN mitochondrial – ADN mt – est présent dans toutes les cellules, mais pas dans le noyau ; cela signifie que tout matériau cellulaire, par exemple une mèche de cheveux, en contient. C'est cette méthode qui a été utilisée en 1994 pour vérifier si Anna Anderson était bel et bien la princesse Anastasia Romanov, dernière descendante du tsar de Russie. La « biologiste hautement qualifiée » s'était trompée. Même s'il n'y avait probablement pas d'ADN dans les boucles de cheveux, on pouvait y trouver de l'ADN mt, transmise de la mère à l'enfant et plus spécifiquement de la mère au fils. J'étais sûre que les mèches de cheveux enfermées avec la lettre devaient appartenir à Maurice et à sa mère.

À ce point de l'enquête, je décidai de contacter une scientifique médico-légale pour voir si cette voie pourrait me mener quelque part. Elle m'expliqua qu'elle travaillait effectivement avec des mèches de cheveux dépourvues de bulbes, mais qu'elle établissait son expertise sur une base comparative et qu'elle ne donnait jamais de réponse définitive. Au Forensic Science Service où elle travaillait, elle recevait tous les indices recueillis sur des scènes de crime, et il ne s'agissait souvent que d'un simple bout de cheveu.

Mais d'après elle, les deux mèches en ma possession présentaient certains inconvénients. D'abord, il y avait fort à parier que l'ADN mt serait identique dans les deux échantillons – à moins que Maurice ne fût pas le fils biologique de l'auteur de la lettre, ce qui semblait peu probable. Deuxièmement, il lui serait impossible de me dire à qui exactement appartenait chacune des mèches. Et même si elles appartenaient à deux personnes différentes. La couleur des cheveux n'apportait aucune indication. « Mon mari, par exemple, me dit-elle afin de souligner son propos, a deux touffes blondes au milieu d'une chevelure plus sombre. »

Consciente de ma déception, elle me consola en me précisant que sa véritable spécialité était les passe-montagnes, portés par les criminels pour dissimuler leurs visages, puis me conseilla vivement de contacter un véritable spécialiste du cheveu. Je saisis la perche qu'elle me tendait.

Le spécialiste du cheveu qu'elle m'avait recommandé, un expert dans son domaine, avait travaillé sur l'affaire de cette femme qui, pendant des années, s'était fait passer pour la princesse Anastasia Romanov. Tristement, il me confirma ce que la scientifique médico-légale m'avait expliqué. Mon indice – des mèches de cheveux appartenant à deux personnes inconnues – était insuffisant. Si Maurice avait un passé judiciaire, me dit-il, peut-être y aurait-il une chance de les distinguer l'une de l'autre, mais les bases de données françaises étaient nettement moins développées que celles de la Grande-Bretagne – ce que je savais déjà. De toute façon, même si je trouvais un moyen d'y accéder, cela ne me serait d'aucune utilité puisque la police ne possédait aucune base de données d'ADN mt.

Sans élément de comparaison, les mèches de cheveux ne servaient à rien du point de vue d'un enquêteur. Pensant me réconforter, le spécialiste m'expliqua que lorsque j'aurais découvert à qui appartenait le cheveu, il serait en mesure de vérifier l'exactitude de l'information. Mais à ce moment-là, je n'aurais plus besoin de son aide…

CHAPITRE 15

Jusqu'à présent, mes recherches n'avaient pas apporté grand chose. Au lieu de me mener quelque part, elles ne m'avaient conduite qu'à rayer des hypothèses sur ma liste. Grâce à Evian, j'avais découvert à quelle période environ on avait fabriqué la bouteille, et le film que la mère de Maurice avait vu. Mais les almanachs des marées n'avaient rien donné, pas plus que les registres d'état civil. L'ADN ne m'avait fourni aucune information, et si la graphologie et l'analyse littéraire m'avaient quelque peu éclairée sur le profil psychologique de l'auteur, elles ne m'avaient pas fait progresser. Mes investigations sur Internet étaient en cours mais peu encourageantes. Je saisis la carte-lettre orange sur laquelle était écrit le dernier numéro de téléphone.

Je téléphonai à la tarologue. Je n'avais jamais consulté le tarot, et ce que je pensais de son utilité aurait de quoi offenser tous ses adeptes. Cependant, certains de mes amis parmi les plus intelligents l'utilisaient et même le pratiquaient. L'artiste peintre m'avait donné les coordonnées avec une telle conviction que je trouvais la tentation irrésistible. Y avait-il une possibilité que ce ne soient pas des sottises ?

Tandis que nous parlions, j'entendais des froissements de papier en fond sonore. Quand j'expliquai à la tarologue les raisons de mon appel, elle fut tout éberluée. Elle me raconta alors que, ces vingt dernières années, elle avait cherché une femme, sa propre mère, dont elle avait récupéré la pendule et un minuscule carnet. Enfant abandonnée, elle avait finalement retrouvé ses traces et venait juste d'écrire un livre sur cette quête. C'était ce manuscrit que je l'entendais fourrer dans une enveloppe pour un éditeur. Elle n'arrivait pas à croire que le jour même où elle venait d'achever son enquête, je puisse l'appeler pour en évoquer une autre – qu'elle trouvait étonnamment similaire.

Quand je lui lus les dernières lignes de la lettre : « Cette lettre, mon fils, je tiens à la partager avec une seule personne, la seule amie que je garderais toute ma vie et bien au-delà. Elle s'appelle Christine, elle est la douceur infinie », elle s'écria :

– Christine – c'est mon nom !

J'avais beau savoir qu'elle se nommait Christine, ce fait ne m'avait pas paru spécialement important.

– Incroyable ! s'exclama-t-elle. C'est un signe. C'était écrit.

Elle me demanda s'il y avait eu des décès d'enfants dans ma famille, ce qui, selon elle, pourrait prouver qu'il existait un lien entre l'auteur de la lettre et moi. Je lui répondis que non, à part à Auschwitz.

C'était une remarque idiote que je regrettai à peine l'avais-je formulée. Cependant, elle s'y accrocha et s'enquit de la présence d'indices juifs dans la lettre. Je lui répondis qu'il y avait des références à des fleurs de lotus et à des mouettes, qui n'étaient en rien des motifs juifs. La tarologue ne parut pas ébranlée.

– Mais vos aïeux sont morts jeunes, insista-t-elle.

Je lui fis remarquer d'un ton quelque peu acide que tout le monde avait forcément perdu ses ancêtres, nombre d'entre eux alors qu'ils étaient encore enfants, et je fis un effort pour refréner la vague de scepticisme qui menaçait de me submerger. Elle se comportait comme tous ceux que j'avais déjà consultés à propos de cette lettre : elle l'interprétait selon un point de vue strictement personnel.

Ce coup de téléphone se révélait aussi peu scientifique que je l'avais craint. Mais j'avais besoin de toute l'aide qu'on pouvait m'apporter et je devais explorer toutes les pistes, de ce genre ou d'un autre.

– Nous sommes face à un triangle, annonça la tarologue. L'auteur de la lettre, vous et votre amie, la promeneuse de chiens. Mais je suis liée aussi à cette histoire, à cause du livre que j'ai écrit et à cause de mon prénom.

Je ravalai la riposte qui me montait aux lèvres, à savoir qu'un triangle à quatre côtés formait un rectangle, et nous décidâmes de nous rencontrer le lendemain.

Le bureau de la tarologue était petit et propre, avec des murs blancs. Les trois tableaux accrochés derrière sa chaise avaient visiblement été peints par l'artiste qui m'avait mise en contact avec elle. Ils étaient du même bleu brillant que la toile que j'avais achetée, et les petits symboles en forme de paraphes qu'on voyait dessus représentaient, me dit-elle, le père, la mère et l'enfant. On aurait vaguement dit des spermatozoïdes. Elle avait un visage rond et des manières de femme au foyer aisée qui me donnaient l'impression d'avoir été flouée, comme si une tarologue devait forcément opérer dans une cellule humide et froide ou sous une tente faiblement éclairée et ressembler à un membre de la famille Adams.

Je lui tendis la bouteille, car elle m'avait expliqué qu'elle aurait besoin de sentir la femme au travers du verre et de la lettre. Elle resta émerveillée devant sa beauté. À ses yeux, elle évoquait un buste, un biberon, une goutte de lait. L'atelier de création artistique d'Evian aurait été désespéré. C'est un symbole de vie, me dit-elle, conçu spécialement pour attirer les femmes qui ont des enfants.

– Elle représente la maternité dans sa forme la plus pure, s'extasia-t-elle.

Selon elle, la femme qui avait choisi cette bouteille était charmeuse, enjouée. L'avait-elle achetée après avoir écrit la lettre ? Ou bien avait-elle écrit la lettre après l'avoir achetée ? Était-ce une bouteille pour la lettre ou une lettre pour la bouteille ?

Quelle que fût la réponse, elle avait opté pour un objet joyeux, une chose lumineuse et brillante. Bleue et dorée. (Avec le logo de la marque bien visible dessus, ajoutai-je mentalement.)

Puis elle se mit à battre les cartes. Elle utilisait un jeu de 22, les arcanes majeurs censés représenter les tournants décisifs de notre existence : nos engagements, nos triomphes et nos tragédies. Elle commença par interroger les cartes sur la vie de l'auteur de la lettre. Elle tira en premier le Soleil, une figure très positive.

– Son enfance a été heureuse, annonça-t-elle, elle a eu des bases solides, joyeuses. Puis, durant la deuxième partie de sa vie, des soucis ont émergé. Elle a eu des problèmes liés aux hommes, à la sexualité, à l'argent. Elle s'est trouvé bloquée, ne sachant pas comment continuer sa vie. Son existence était sombre, terrible. Puis il y a eu un changement. Une troisième phase, durant laquelle elle a eu un compagnon, peut-être un mari… En tout cas, elle a vécu avec quelqu'un. Elle était toujours pleine de vie et elle a connu une sorte de résurrection, de transformation.

La tarologue réfléchit un instant.

– L'auteur de la lettre, ajouta-t-elle, possède de grandes réserves de vitalité et d'énergie. (Puis elle demanda :) À quoi ressemble cette femme ?

Les cartes lui répondirent que, physiquement, elle était gracieuse et fine, qu'elle avait en elle de la légèreté, peut-être une ressemblance avec un jeune homme, un côté légèrement androgyne. Elle voyageait beaucoup, peut-être à cause d'un travail qui impliquait des déplacements. Elle était dynamique, énergique. Elle et la bouteille bouillonnaient de gaieté. Elle avait le soleil sur elle. Elle avait connu le paradis et possédait une sorte de rayonnement. À chaque fois que la tarologue posait des questions sur la femme, les cartes du Soleil et de la Tempérance semblaient sortir du jeu.

– Où se trouvait la femme quand elle a jeté la bouteille ? demanda-t-elle.

La carte de l'Ermite apparut. Elle était très solitaire et avait lancé la bouteille dans un moment de grand isolement. Puis la carte de la Mort lui succéda, suggérant que ce geste avait coïncidé avec une période de deuil. Cette épreuve n'avait pas été nécessairement courte, mais la femme en était sortie très brutalement et avait appris à vivre avec son chagrin. Elle avait connu des moments difficiles durant lesquels elle avait abandonné tout espoir, une période de néant total, mais après avoir jeté la bouteille à la mer elle était prête à affronter la vie. Si elle avait un compagnon, comme le sous-entendait la carte de l'Empereur, c'était un homme plus stable, plus âgé qu'elle. Peut-être l'avait-elle connu dans le passé ? Il était beaucoup plus fiable que l'homme qu'elle avait rencontré précédemment.

Y avait-il un autre enfant ? Visiblement, les cartes refusaient de répondre à cette question. Maurice lui-même était très seul, dit la tarologue. Il n'était pas mort rapidement, ni soudainement. Elle étudia les cartes un long moment, submergée peut-être par les nombreux éléments qui apparaissaient. Peut-être avait-elle des difficultés à identifier Maurice ? En tout cas, le processus qui avait conduit à sa mort avait été long et pénible. Les problèmes semblaient avoir surgi à cause de son père, ou peut-être plutôt de son absence. La source chronologique de ses difficultés était définitivement liée à l'absence de son père.

– Le manque de père est à la base de tous les problèmes survenus plus tard, dit-elle.

La tarologue lisait-elle tout cela dans les cartes ou le devinait-elle d'après la lettre ? Peut-être en fait se contentait-elle d'utiliser les informations qu'elle avait recueillies grâce au texte ou aux indices que je lui avais donnés par inadvertance ? Était-ce là la véritable nature du tarot ?

Quand elle posa une question sur la mort de Maurice, les cartes les plus positives semblèrent disparaître, cédant la place à celles de la Justice, de la Mort, du Diable et du Pendu. Maurice avait vécu une crise violente, dit-elle. Une crise plus physique que psychologique. C'est son corps qui avait été touché. Elle insista sur la notion de violence, incapable de trancher entre la maladie ou l'accident, mais elle était certaine que l'épisode avait été d'une rare intensité. Maurice s'était senti très seul au moment de sa mort.

Lui et l'auteur avaient vécu ensemble plus comme un couple que comme une mère et son fils. Il avait remplacé son père dans sa vie et s'était senti responsable d'elle. Il était devenu mature très rapidement et avait agi comme s'il était son compagnon, cherchant à la protéger. Il considérait sa mère comme une femme ayant besoin de protection.

Puis vinrent le Bateleur et le Fou qui indiquaient une personne douée mais instable. Maurice avait expérimenté beaucoup de choses dans son existence. Il était « tout feu tout flamme », prêt à tout essayer.

La tarologue s'empara de nouveau de la bouteille. La mère l'avait peut-être lancée le jour de l'anniversaire de son fils ? Pourquoi avait-elle choisi ce jour en particulier ? Les cartes semblaient révéler que Maurice était né sous le signe du bélier, c'est-à-dire entre le 21 mars et le 20 avril, ce qui, malheureusement, ne collait pas avec les dates de fabrication de la bouteille que m'avait données Evian. En tout cas, la tarologue était convaincue que la mère désirait absolument que cette dernière soit découverte et analysée. Elle était trop jolie pour avoir été achetée dans le seul but de transporter une lettre à travers les flots.

Je finis par me rendre compte que je pouvais moi aussi poser des questions directes au jeu de tarot, ou du moins à la tarologue.

– Maurice est-il mort d'une maladie ? demandai-je.

– Oui, fut la réponse.

Son corps avait été frappé par le feu, en particulier la tête. Avait-il été victime d'une terrible migraine, de fièvre, ou d'une fracture du crâne, d'une hémorragie cérébrale ? Un traumatisme crânien violent ? Les cartes n'étaient pas très claires concernant les causes de sa disparition, même si le Chariot semblait indiquer un accident de la route. Sa mère était présente au moment de son décès ou durant l'événement qui l'avait précipitée. Qui sait si, après avoir reçu un coup terrible, il n'était pas mort lentement d'une inflammation ? À l'instant fatal, Maurice avait connu un instant de grâce, une sorte d'illumination.

Mon attention faiblissait. Les cartes donnaient des réponses bien arrêtées, mais après vérification elles se drapaient de nouveau dans l'ambiguïté. Pouvais-je me fier à ce qu'elles disaient ?

Cédant à une tentation malicieuse, je demandai des renseignements sur l'adresse de l'auteur de la lettre. Les tarots me remirent à ma place fermement.

– Maurice s'est-il noyé ? insistai-je.

– Non, répondit la carte de l'Ermite d'un ton définitif.

– S'est-il suicidé ?

– Non.

– A-t-il succombé à une overdose ?

Peut-être, répliquèrent les arcanes majeurs. C'était possible mais pas évident. Et plutôt improbable, même si la cause du décès provenait d'un excès. La tarologue voyait de l'imprudence, un manque de contrôle. Cette hardiesse avait peut-être causé la maladie qui avait conduit à la mort. Il était décédé à la suite d'un excès, mais pas d'un excès de drogues. Il s'était précipité quelque part et avait perdu le contrôle, affirmaient le Chariot et le Diable. Il n'y avait aucun rapport avec l'eau. Maurice était un garçon turbulent, malicieux, entêté. Il semblait être défini par les cartes du Bateleur et du Fou. Au-dessus de la tête du Bateleur, on apercevait le symbole que la femme inconnue avait dessiné en haut à gauche sur toutes les pages de sa lettre.

La graphologue m'avait expliqué que les huit allongés étaient le symbole de l'infini, mais à l'époque cela n'avait pas vraiment fait impression sur moi. Maintenant que je le voyais au-dessus de la tête du Bateleur, cela me paraissait important. La mère de Maurice s'intéressait peut-être au tarot ; à moins que les cartes ne portent en elles une sorte de précision secrète.

Avait-elle lancé la bouteille dans la mer depuis un navire ou de la côte ? Il n'y avait pas de bateau, répondirent les tarots. Après quelques hésitations, la femme avait grimpé sur une hauteur, peut-être même dans un endroit risqué, et avait jeté la bouteille du sommet d'une falaise. C'était une façon d'intégrer le décès de Maurice dans sa chair. Elle vivait à travers cette mort comme si c'était la sienne, affirmaient le Bateleur et le Pendu. Aujourd'hui, elle était solide, c'était une survivante qui avait été transformée par cet événement. Les deux éléments, la mère et le fils, la Tempérance et le Bateleur, étaient liés par la solitude. La femme semblait être représentée par la carte de la Tempérance, qui signifiait l'équilibre, les effets cicatrisants du temps.

Vivait-elle près de la mer lorsqu'elle avait lancé la bouteille ? Les cartes refusaient de répondre. Elles en avaient assez, et très brutalement j'éprouvai la même chose.

La limpidité et la force de persuasion de l'interprétation étaient assez convaincantes, mais tant que je ne n'aurais pas retrouvé l'auteur de la lettre je serais incapable de me fier aux déclarations de la tarologue. Le fait que la mère ait utilisé le symbole de l'infini au coin de ses pages était intéressant et indiquait probablement que l'univers du tarot lui était familier. Si j'en croyais les cartes, il me fallait sans doute commencer à chercher une plage avec une falaise à pic située quelque part sur la côte française ; mais, outre le manque de précision qu'offrait cet indice, je n'y croyais pas assez pour exclure d'autres hypothèses. Cette séance avait été intéressante et amusante, mais je restais sceptique quant à la fiabilité du tarot.

*
* *

Si vous consultez les tarots, m'avait dit Christine, il est fortement conseillé de regarder aussi les astres. J'acceptai avec un rien de perplexité. L'astrologue me demanda ma date et mon heure de naissance ainsi que mon signe ascendant. Il me fallait aussi récupérer les mêmes renseignements auprès de mon amie, la promeneuse de chiens, puisque c'est elle qui avait établi le premier contact avec la lettre. On m'assurait que les résultats seraient significatifs. Nous appelâmes toutes les deux nos mères respectives qui durent faire un effort pour se rappeler les détails de notre arrivée dans ce monde.

En possession de ces informations, je retéléphonai pour commander nos cartes du ciel, afin qu'elles soient lues en conjonction avec la bouteille.

Je n'étais pas du tout convaincue que l'astrologie m'aiderait à découvrir l'auteur de la lettre, mais le fait d'évoluer dans cet univers magique et ésotérique, si nouveau pour moi, me donnait l'impression de poursuivre mes recherches. Peut-être espérais-je, dans un recoin de mon cerveau, que les tarots ou les astres me guideraient, contre toute attente, dans la bonne direction ? À moins qu'il s'agisse seulement du besoin de me dire que j'avais exploré toutes les pistes.

J'avais précisé – déclaration vaine, comme le montra la suite des événements – à l'astrologue que je ne souhaitais aucune analyse de ma personnalité ou de prédictions sur mon avenir. Elle devait se concentrer sur la bouteille.

La consultation se déroula dans un petit bureau situé au fond d'un jardin, et spécialement utilisé à cette intention. L'astrologue affermissait sa pratique tout en menant, en attendant, une carrière d'avocate de haut vol spécialisée dans le droit de la famille. Son mari, un homme d'affaires, regardait cette occupation d'un œil presque agressif. Elle m'avertit d'emblée : elle travaillait de façon très clinique et me présenterait ses conclusions d'une manière strictement analytique.

Elle me tendit ma carte du ciel. Mon horizon était apparemment encadré par mes parents, mon père et ma mère, à chacune de ses extrémités. La présence d'Uranus et de la lune en Lion indiquait que j'accordais une grande importance à l'éducation des enfants, qu'il s'agisse des miens ou de façon plus générale. J'acquiesçai intérieurement – je venais d'écrire un livre sur un aspect particulier de cette question et ne cessais de me soucier des progrès éducatifs de mes propres enfants –, mais je gardai le silence. Les planètes dans la Cinquième Maison montraient apparemment mon souci pour tout ce qui concernait les rapports aux enfants, à la famille et à la parentalité.

– Le ciel de votre naissance a déjà révélé cela, dit l'astrologue, Cela m'a frappée immédiatement.

La carte du ciel de mon amie était un reflet de la mienne. Nos planètes indiquaient de nombreux points de convergence, ce qui créait une forte relation entre nous, mais mon expérience de la maternité était moins problématique que la sienne. Nous avions toutes deux la même sensibilité pour tout ce qui touchait à la famille, ce qui expliquait pourquoi, astrologiquement parlant, elle m'avait fait confiance en me confiant la bouteille. J'objectai que j'étais probablement la seule de ses amies à connaître le français, et certainement l'unique personne avec qui elle échangeait trois coups de téléphone professionnels par jour, mais l'astrologue dédaigna mon commentaire.

Elle se montra très animée en reliant mes différentes planètes. La conjonction de Saturne, Neptune, Pluton et de la Lune avait la forme symétrique d'un cerf-volant. Je lui demandai si tout le monde avait la même figure sur sa carte du ciel, et très obligeamment elle relia les planètes de mon amie : cela ne donna rien de reconnaissable ou de symétrique. Le cerf-volant signifiait que, même au moment de ma naissance, j'envoyais des messages dans le ciel. Mes efforts avaient quelque chose d'enfantin et de magique. Le cerf-volant faisait la liaison entre l'eau et la terre, et montait en flèche dans les airs. J'eus soudain la vision des banquiers de Mary Poppins plantés sur Primrose Hill qui hurlaient : « Faisons voler un cerf-volant ! ». L'astrologue se situait sur un plan totalement différent.

– Symboliquement, ceci vous relie à la notion de message, à la maternité, à la paternité, dit-elle. Mais l'auteur de la lettre utilise la mer quand vous, vous utilisez l'air. (Et elle ajouta :) Ceci est la froide vérité.

Puis elle passa en revue chacune de mes planètes, à l'aide des symboles Sabian, qui, paraît-il, sont des images symboliques censées faire émerger la puissance de la créativité. Ces images, ou degrés comme je le découvris plus tard, s'étaient « manifestées » comme « une sorte d' I Ching américain et contemporain » auprès de Marc Edmund Jones et Miss Elsie Wheeler dans le Balboa Park de San Diego en 1925, avant d'être revisitées par Dane Rudhyar dans son livre *L'Astrologie de la personnalité* dont la première édition date de 1936. Presque quarante ans plus tard, Rudhyar écrivit *Un mandala astrologique* dans lequel, grâce à « une approche plus holistique et humaniste, (il) promouvait l'idée d'utiliser les symboles Sabian comme un oracle ». C'était intéressant de voir une astrologue française s'inspirer à la fois de la culture orientale et occidentale pour affiner son interprétation. De Confucius à un parc de caravanes.

Chaque planète se référait à un symbole ou à une phrase Sabian spécifique qui, bien sûr, pouvait s'interpréter de différentes façons. Mercure, la planète de la petite enfance, donnait ainsi « un jeune enfant apprend à marcher, encouragé par ses parents ». Pluton était un carrousel. Les deux étaient des symboles enfantins, et quand avec une certaine agressivité je mis au défi l'astrologue de m'expliquer les phrases voisines pour voir si elles étaient aussi puériles, elle me fit remarquer que le premier degré était un harem et que le suivant signifiait « un jeune couple qui fait du lèche-vitrine ». Je dus avouer qu'aucun des deux n'évoquait réellement la notion d'enfance.

Nous retournâmes aux planètes. Uranus, qui représentait la liberté, me disait qu'un « pigeon voyageur accomplit sa mission » tandis qu'une autre conjonction astrologique donnait « une femme arrose les fleurs dans son jardin ». Je pensai soudain à mes plantes qui fanaient doucement dans le mien, tandis que j'étais loin de chez moi, lancée dans une quête stérile. Le Scorpion se lisait de façon assez surprenante : « Le sauvetage d'un homme qui se noie ». Le Lion : « Absorbé par sa recherche intérieure, un homme assis médite sans se soucier de son apparence » ; je pensai à plusieurs hommes de ma connaissance qui correspondaient à cette description. Puis la Lune noire cracha : « Une jeune femme noire se bat pour ses droits » et mon scepticisme réapparut.

Cette Lune noire était le seul élément au-dessus de mon horizon, et par conséquent la seule force dont j'avais, apparemment, réellement conscience. La position des planètes dénotait une curiosité sans borne.

– Vous êtes prête à aller jusqu'aux dernières extrémités, commenta l'astrologue, pour retrouver les choses les plus compliquées, les plus mystérieuses, les plus fantastiques.

Cette avidité était aujourd'hui reliée non seulement à mon désir de liberté mais aussi à une recherche spirituelle, à une interrogation sur l'essence même de la mort. Cette remarque me semblait profonde, mais étant donné que l'astrologue était parfaitement au courant des démarches que j'effectuais pour trouver les origines de la bouteille, ses déductions n'étaient pas totalement intuitives. Et comme elle le soulignait, les phrases étaient symboliques et pouvaient être interprétées de nombreuses façons. Ainsi que le disait le site Internet Sabian : « À l'exemple de tous les oracles, la réponse que vous obtiendrez est celle dont vous avez besoin. »

L'astrologue fit le bilan de ses conclusions. J'étais une messagère. J'avais un grand désir de liberté, une curiosité sans limites, une envie farouche de protéger les enfants, et ce désir de protection avait quelque chose de masculin. Je possédais une force subconsciente et des dons qui me reliaient à ce dont les autres avaient besoin. J'étais capable de transmettre des messages subconscients qui abolissaient les distances. Toute ma vie, j'avais lancé des cerfs-volants métaphoriques et comme j'étais en mesure de recevoir des appels lancés dans une autre direction, il n'était pas surprenant que j'aie trouvé cette bouteille à la mer. Les positions de Saturne et de la Lune noire indiquaient que j'approchais d'un défi unique. L'essentiel de cette analyse était légèrement flatteur, et il m'était facile de voir où elle s'insérait dans le contexte de mon enquête actuelle.

La carte du ciel de mon amie, la promeneuse de chiens, était plus incertaine. La bouteille l'inquiétait ; elle manquait à la fois d'énergie et de confiance pour se lancer dans cette enquête. Cela la touchait trop profondément, c'était trop personnel. Selon l'astrologue, elle était en quelque sorte psychologiquement prisonnière, donc incapable de mener cette mission à bien. Mais, bien que malheureuse, c'était une personne lumineuse. Elle m'avait donné la bouteille parce qu'elle me faisait confiance, même si en règle générale elle était plutôt de nature méfiante. Et, ajouta l'astrologue dans un élan de confiance en elle déplacée, elle avait probablement des jumeaux. Je poussai un soupir de soulagement en constatant que je n'avais pas changé d'opinion quant à la rigueur scientifique de l'astrologie.

Après ces consultations avec l'astrologue, la tarologue, et dans une certaine mesure la graphologue, il devenait évident que je devais abandonner ces méthodes alternatives. Ces rendez-vous m'avaient intriguée mais ne m'avaient apporté aucune certitude. Bloquée dans mon enquête, je m'étais laissé aller à la facilité. Désormais, j'étais résolue à suivre des pistes plus conventionnelles.

CHAPITRE 16

Le détective britannique que j'avais contacté au début de mon enquête m'avait proposé de joindre certains de ses collègues étrangers par l'intermédiaire de l'Association mondiale des détectives dont il était membre, mais cela n'avait rien donné. Ne pouvant plus attendre son aide, j'en contactai un moi-même en France. L'annuaire des pages jaunes comptait des centaines de privés et je choisis au hasard un cabinet qui s'appelait « À bas l'abus » – pour la seule raison qu'il était l'un des premiers sur la liste alphabétique et que j'aimais bien la sonorité de ce nom.

La secrétaire du détective m'informa qu'il serait de retour à 14 heures. Je m'assis donc en attendant qu'il regagne son bureau situé sur la minuscule place du Commerce, bordée d'arbres. L'entretien se révéla être le plus bref de tous ceux auxquels j'avais eu droit jusqu'à présent.

– Madame, vous n'avez tout simplement pas assez d'éléments, me dit-il en m'indiquant la porte que je venais juste de franchir. Votre seule chance est d'aller parler de votre histoire à la télévision. Hormis cette solution, il n'y a aucun espoir.

Ma première réaction fut de me rebeller devant le manque de courtoisie dont l'homme avait fait preuve lorsque je lui avais tracé les grandes lignes de mes recherches, mais étant donné que tout cela ne m'avait menée nulle part il avait – objectivement parlant – raison. Lorsque j'ouvris la porte qui donnait sur la place du Commerce que je venais à peine de traverser, j'étais dans un état de découragement profond.

Une fois de plus, je recevais un conseil que je ne voulais pas entendre. Je désirais trouver personnellement l'auteur de la lettre, calmement, par mes propres moyens, sans recourir à la médiatisation. Mais il devenait de plus en plus évident que les choses en iraient autrement. Cependant, je continuais d'espérer qu'avec quelques pistes supplémentaires et quelques jours de plus je pourrais découvrir la réponse.

Ce soir-là, je dînais avec des amis parisiens : une vieille copine de fac qui, après avoir grimpé les échelons de la carrière diplomatique, était devenue conseillère d'un ministre du gouvernement, et son mari qui gérait le budget colossal des anciennes colonies françaises en Afrique. Intrigués par mes recherches et désolés d'apprendre la façon cavalière dont j'avais été traitée un peu plus tôt dans la journée, ils tentèrent de me remonter le moral en me suggérant de nouvelles pistes. À l'instant où la salade, remuée par des mains expertes, remplaça dans nos assiettes la portion de poisson, minuscule mais délicieusement cuisinée, ils se souvinrent d'un ami commun qui dirigeait maintenant un service de renseignements. Ils allaient le contacter et organiser un rendez-vous. J'eus une bouffée d'espoir : enfin, j'allais recevoir de l'aide, peut-être même avoir accès à des sources d'informations habituellement fermées au grand public.

Apparemment, leur ami dirigeait une unité d'enquête spéciale pour un service des renseignements français dont personne n'était supposé connaître l'existence. J'arrivai ponctuelle au rendez-vous, espérant m'être vêtue assez élégamment pour impressionner un espion d'une telle importance. L'entrée de l'immeuble de bureaux situé près de la Bastille offrait une apparence quelconque, mais le hall était discrètement protégé par des caméras, des réceptionnistes costauds et des codes de sécurité. *À quoi ressemble un agent secret français ?* me demandai-je. Peut-être aurais-je dû relire *Le Chacal*…

Je fus accueillie par un homme en civil, à l'allure peu soignée, qui portait le genre de jean et de baskets qu'on met quand on veut courir très vite et, malgré la chaleur torride, une veste épaisse capable de dissimuler une arme. Perchée sur mes hauts talons, j'essayai de rester à sa hauteur tandis qu'il me faisait franchir à toute allure plusieurs portes protégées par des codes. Ayant marché pendant des heures toute la journée, j'avais caché mes chaussures confortables au fond de mon attaché-case.

Le directeur du service de renseignements était installé dans un immense bureau. Il portait un costume élégant de style Armani et fumait un gros cigare nocif. C'était un homme grand, mince et élégant, avec des yeux tristes dans lesquels brillait une lueur d'anxiété. Après m'avoir serré la main, il me demanda de lui exposer les faits. Comme il avait déjà entendu l'histoire de la bouche de mon amie, il ne voulait de moi qu'un rapide résumé factuel. Les éléments étant peu nombreux, cela ne présentait pas de difficulté. J'avais la nette impression de ne disposer que d'un bref créneau dans son emploi du temps surchargé. Pendant que je fourrageais dans mon sac à la recherche de la bouteille que j'avais apportée au cas où il aurait besoin d'une preuve solide pour attester de mon histoire, il convoqua un adjoint qui devait assister à l'entretien.

L'homme était plus pragmatique et chevronné. Âgé d'une petite cinquantaine d'années, un peu dodu, il paraissait avoir tout vu. Il alluma une cigarette et sa fumée de Gauloise mêlée à celle du cigare épaissit l'air et me saisit à la gorge ; j'avais l'étrange impression de m'être égarée dans un film noir. L'adjoint tortillait sa moustache grisonnante tout en écoutant ma brève exposition des faits : le prénom, l'âge.

– Madame, me dit-il, faisant écho en cela à ce que m'avait dit le détective privé français, vous n'avez tout simplement pas assez d'indices.

Le directeur l'interrompit.

– Madame est une excellente amie d'une de mes amies, coupa-t-il en dardant sur son adjoint un regard entendu. Nous ferons tout ce qui est en notre pouvoir pour l'aider.

L'adjoint remobilisa son attention.

– Il n'est pas question d'argent, ajouta le directeur en levant la main comme pour repousser un pot-de-vin.

Je dissimulai ma surprise : il ne m'était jamais venu à l'idée d'en offrir, d'abord parce que je n'aurais pas su comment m'y prendre, ensuite parce que, au vu de ses goûts vestimentaires dispendieux, j'aurais été bien incapable d'en avoir les moyens.

L'adjoint attaqua la lecture de la lettre tandis que je leur résumais les démarches entreprises jusqu'à présent, sans trop m'attarder sur les rendez-vous avec l'astrologue et la tarologue.

– Je ne suis pas convaincu qu'il s'agisse d'un meurtre, lança l'adjoint quand il eut terminé de lire la lettre.

Même si je n'avais jamais cru à cette possibilité, je ne voulais pas limiter le champ d'investigation.

Le directeur se leva :

– Je ne fais jamais de promesses en l'air, affirma-t-il d'un air pompeux. Mais si vous m'envoyez un e-mail avec toutes les informations dont vous disposez, toutes les démarches que vous avez déjà faites, et en quoi vous avez besoin de notre aide, je vous promets d'explorer toutes les pistes possibles.

Et tandis qu'il agitait son cigare dans ma direction et que je luttais pour ne pas tousser, j'eus le sentiment que mon affaire était quasiment résolue. Ce bureau de renseignements ferait appel à toutes ses ressources pour trouver l'identité de l'auteur de la lettre et les causes de la mort de son fils, Maurice. Cela conforterait mes amis dans leur influence, et comblerait la satisfaction intellectuelle et la vanité du directeur des services secrets.

Le chef m'indiqua que l'entretien était terminé et je marmonnai des remerciements ravis. Pendant que je m'efforçais de ramasser la lettre, la boîte dans laquelle j'avais enveloppé la bouteille, la bouteille elle-même, mon attaché-case et mon carnet de notes, tout en essayant de lui serrer la main ainsi qu'à son adjoint, il retourna rapidement à ses dossiers déposés sur son bureau. L'adjoint me poussa fermement hors du bureau, avec mes affaires dans les bras. Tandis qu'il refermait soigneusement la porte derrière moi, je me retrouvai dans le couloir à remballer la bouteille et mes papiers dans ma mallette sans pouvoir m'empêcher de regretter de n'avoir pas pu faire une sortie plus digne et plus élégante.

DE : Karen Liebreich
À : X
Sujet : La bouteille à la mer

Cher Monsieur X,

Je vous remercie beaucoup pour votre proposition de m'aider à retrouver cette femme mystérieuse, d'autant que je sais à quel point vous devez être occupé. Je vous saurais gré de toutes les pistes, les conseils, etc. que vous pourrez me donner. Voilà les détails que vous m'avez demandés.

A – Les faits

Les éléments concrets sont peu nombreux.

– Le fils s'appelait Maurice.
– Il avait treize ans quand il est mort.
– Il était son premier fils.
– Il est mort un soir d'été, à « l'aurore de l'été ».
– Une bouteille d'Evian, du papier, de l'encre, un ruban, deux mèches de cheveux.
– La femme a une amie proche nommée Christine, à qui elle a l'intention de montrer la lettre.

Il y a d'autres indices moins concrets qui ne sont peut-être que des métaphores…

– « Sans prévenir, il s'est dérobé à la vie dans un trop plein de désirs, un trop vif de vivance ». Une overdose de drogue ? Un accident de moto dû à l'imprudence ?

– « Il a voyagé longtemps entre deux eaux, entre deux lumières pour tenter d'éteindre infatigablement le repos de ses deux bras tendus ». S'est-il noyé ? Son corps a-t-il dérivé dans l'eau ? Dans le coma ?

– « Ce terrible moment où tu me glissais entre les doigts… » Était-elle était présente au moment de sa mort ?

– « Mon fils a regagné le port, près d'un rivage lointain, tout près du soleil levant ». Information symbolique ou réelle ?

B – Mes avancées

– L'Ined m'a fourni le nombre de garçons noyés entre l'âge de 10 et 14 ans. L'Inserm m'a précisé le chiffre des noyades par suicide ou accidentelles, selon une répartition régionale. Aucun de ces deux organismes n'a pu me donner plus de détails sur les individus concernés ou me conseiller sur d'autres démarches. Je ne suis plus certaine que Maurice se soit noyé. Les allusions à la mer, à l'eau, etc., sont peut-être des images littéraires qu'il ne faut pas prendre de façon littérale.

– J'ai rendu visite à un détective privé, qui m'a parlé de l'ESDA (une technique spéciale pour analyser le papier). Je n'ai pas encore suivi cette piste.

– Evian m'a informée que la bouteille avait été fabriquée entre octobre 2001 et sa découverte sur la plage. Le contact que j'ai eu chez eux m'assure qu'il est impossible de connaître le point de vente de la bouteille, mais j'ai l'impression qu'en me rendant sur place je pourrais la convaincre d'entreprendre d'autres recherches et j'ai bien l'intention d'aller chez Evian.

– Les bases de données, comme celles qui sont utilisées par les institutions financières, ainsi que mes recherches sur Internet n'ont rien donné.

– Une partie du premier paragraphe ainsi que le dernier sont tirés d'un film de Kevin Costner, *Une bouteille à la mer*, sorti en 1999.

– J'ai consulté les rubriques nécrologiques de *La Voix du Nord*, pour les mois de mai et juin de 1995 à 2000. En vain. J'ai aussi épluché les mois de juin 1995 dans les journaux suivants : *Ouest-France, Paris Normandie*, *Nord Éclair* avant de perdre courage.

– J'ai cherché à récupérer un certificat de décès, mais il semble qu'il n'y ait pas de fichier centralisé en France. On m'a dit que chaque mairie possédait ses propres registres et qu'il fallait obtenir une autorisation du procureur de la République pour y avoir accès.

– « Analyse en bulbologie capillaire ». Malheureusement il n'y a pas de bulbes sur les cheveux, et l'expert est incapable d'aller plus loin.

– Graphologue. Elle m'a fourni des « éclairages » psychologiques, mais aucune information concrète, hormis que cette femme n'est ni très jeune ni très âgée. (Peut-être entre trente-cinq et cinquante-cinq ans).

– Psychologue clinicienne. Selon elle, la période de deuil suite à la perte d'un enfant (pour une mère) dure au moins deux ans.

– Secouristes en mer de Sheppey, où l'on a trouvé la bouteille. Le capitaine suggère qu'elle a pu être lancée sur place, ou de Margate ou du Norfolk – mais étant donné qu'elle n'a pas été vendue au Royaume-Uni, j'en doute. A pu être jetée d'un ferry en Manche. Dans le cas d'un vent nord-est, elle a pu suivre les courants en partant de Dieppe. Ou d'Ostende. Si l'on se situe plus à l'ouest – Cherbourg, etc. –, le courant l'aurait entraînée dans la direction opposée. L'auteur de la lettre écrit qu'elle jettera la bouteille « au large des côtes ».

C – Ce que j'attends de vous

– Vous avez mentionné un fichier central des décès. Peut-on vérifier s'il contient un certificat de la mort de Maurice ? Je suis prête à éplucher les dossiers sur plusieurs années, et vous avez mon entière discrétion concernant la source d'information. C'est la chose qui me paraît la plus importante.

– Votre adjoint a parlé d'un fichier ADN des personnes décédées. Pourriez-vous vérifier si le nom de Maurice apparaît dedans, ou si un de ces échantillons ADN correspond à celui des cheveux qui sont en ma possession ? Bien sûr, si ce fichier ne concerne que les dix-huit derniers mois, c'est peut-être inutile ?

– J'aimerais demander à la police du nord de la France si elle a des informations sur la mort de ce garçon de treize ans. Avez-vous des contacts qui me seraient utiles ?

– Que pensez-vous de l'idée de contacter des secouristes, des magistrats et les hôpitaux ?

– Y a-t-il d'autres analyses techniques, comme l'ESDA, qu'on pourrait pratiquer sur la lettre ou sur les cheveux ?

– Pourriez-vous me suggérer d'autres pistes ?

Je me rends bien compte que mes questions sont nombreuses, et je comprendrai fort bien si vous me dites que vous êtes trop occupé. Je vous remercie par avance de toutes les suggestions, liens, contacts, etc., que vous voudrez bien me donner.

Bien à vous,

KAREN LIEBREICH

J'attendis quelques semaines puis, voyant que ce mail n'obtenait pas de réponse, j'en envoyai un autre et téléphonai également au bureau du directeur de la police. Je laissai même sous-entendre, le plus délicatement possible, que j'étais prête à payer quelques recherches supplémentaires si, par exemple, on devait confier à quelqu'un le soin d'éplucher les bases de données à la recherche des certificats de décès d'adolescents. Mes différents messages restèrent lettre morte, et à chaque coup de fil la secrétaire se débarrassait de moi. Je n'eus pas de nouvelles du directeur des renseignements, et mes amis diplomates n'eurent pas le cœur d'aborder le sujet lorsqu'ils le rencontrèrent quelque temps plus tard.

Peut-être avait-il saisi que la tâche était au-dessus de ses moyens ? Dans ce cas, je ne comprenais pas pourquoi il ne s'était pas contenté d'un refus poli mais définitif. La seule chose que je pouvais en déduire, c'est qu'il m'avait baratinée et que sa proposition relevait du fantasme, celui de croire qu'il pouvait résoudre n'importe quelle énigme. Après tous les espoirs que ce rendez-vous avait suscités en moi, c'était un dénouement extrêmement décevant.

Le temps était venu soit d'abandonner les recherches, soit de les mener plus sérieusement. Je retournai à mon travail, à mes enfants, mais j'avais du mal à me concentrer sur d'autres sujets. La lettre ne me laissait pas en paix – c'était comme une démangeaison qu'il fallait absolument gratter. J'étais incapable de laisser tomber cette enquête aussi facilement. Je n'avais pas encore exploité certains éléments, et quelques investigations supplémentaires m'aideraient sûrement à boucler le dossier.

CHAPITRE 17

Le premier détective privé que j'avais consulté avait mentionné l'ESDA (*Electronic Static Detection Analysis*), il fallait donc donner suite à sa suggestion. Ce procédé exigeait un matériel sophistiqué et un expert chevronné. Je téléphonai au détective dans l'espoir qu'il pourrait organiser quelque chose, mais il semblait clairement préoccupé et me donna précipitamment les coordonnées d'un laboratoire du centre de Londres, en précisant de ne pas révéler son nom.

Les bureaux de l'expert médico-légal se trouvaient dans un immeuble à la façade anonyme près de la gare Victoria, à quelque cinq minutes à pied du Parlement. Un agent de sécurité plutôt costaud m'arrêta à l'entrée.

– Êtes-vous policier ? me demanda-t-il.

Je ne savais pas si je devais me montrer flattée ou offensée par sa question.

– Non, répliquai-je en me demandant s'il allait me refuser le passage, mais il me fit signe d'entrer.

On m'autorisa à monter à l'étage puis à pénétrer dans un bureau. Deux des murs étaient couverts d'appareils audio, de rangées de magnétophones et de matériel technique d'aspect mystérieux, des cadrans, des lampes et des interrupteurs. Cela ressemblait à l'idée qu'un décorateur de cinéma se fait de l'intérieur d'un réseau destiné à dominer le monde.

L'expert médico-légal était grand, d'apparence soignée, et dégageait un je-ne-sais-quoi du militaire de carrière, coupe dégagée autour des oreilles. Tout en nous préparant du café, il me raconta son parcours. Il avait travaillé pendant seize ans comme ingénieur électronique dans la Royal Navy – ce qui expliquait ses manières brusques –, principalement dans les sous-marins où il captait les communications météorologiques, des bribes de conversations secrètes d'ennemis à ennemis potentiels. Puis il avait rejoint la police métropolitaine où ses dons d'espionnage dans l'informatique et l'électronique l'avaient mené au sommet de l'organigramme du Forensic Audio Laboratory qui prenait son essor à l'époque. On l'avait chargé de travailler en première ligne sur l'authentification et l'amélioration par ordinateur lors de plusieurs procès de terroristes, une mission qui lui demandait de répondre en urgence aux requêtes des avocats puis de soutenir ses constatations devant des hommes de loi agressifs. Ensuite, il avait créé sa propre firme dans le domaine commercial, bien que son principal client restât les services de police, ce qui expliquait probablement la question que m'avait posée l'agent de sécurité. La société menait des travaux d'expertise légale, de récupération d'ordinateur, d'information en technologie, d'amélioration par informatique et d'analyse et de transcription de bandes vidéos et audio, et avait récemment développé une unité de modélisation de scènes de crime en 3D. Bien qu'il fût davantage spécialisé dans les preuves audio que dans les documents écrits, l'homme avait les connaissances nécessaires pour analyser les feuilles de papier et l'écriture. Il avait accepté de me voir – ainsi que la lettre – par pure curiosité intellectuelle, ce qui, étant donné l'état de mes finances, était plus qu'inespéré.

– Si nécessaire, me dit-il, nous pourrons faire appel à un spécialiste.

Avant que j'aie eu le temps de déballer la bouteille, il m'informa qu'il allait me présenter ses jouets favoris. Sa discipline et son refus de regarder la lettre avant de m'expliquer les choses à notre satisfaction mutuelle m'impressionnèrent réellement. Il me montra d'abord un testeur ACO. Cela ressemblait un peu à un écran d'ordinateur, creux comme une hotte, qui projetait de la lumière sur le document placé en dessous. L'expert me précisa qu'ACO était juste le nom de la marque, et que l'appareil était une sorte de comparateur vectoriel, en plus compact. On se serait cru dans une scène d'un James Bond, avec l'expert dans le rôle de Q.

– L'appareil est capable de discerner les traces sur le papier, poursuivit l'expert. Mais on l'utilise généralement pour regarder les encres. On part de l'idée que chacune d'elles a une fluorescence différente selon les lumières, même si elle provient du même fabricant ; par conséquent, si vous prenez deux encres noires, leurs fluorescences n'émettront pas tout à fait sur la même longueur d'ondes.

Il glissa sous la hotte une carte test, un faux chèque émis par « Nicky Smith » pour me faire une démonstration. Puis il régla le type de lumière et la fréquence, tripota le filtre et joua avec le bouton de mise au point jusqu'à ce que les encres commencent à se séparer. Il était maintenant visible que Mlle Smith avait établi un chèque de 6 livres et qu'un escroc l'avait transformé en 60 livres. Si la fraude était indiscernable à l'œil nu, elle devenait évidente sous le testeur ACO.

Puis l'expert se tourna vers une machine qui ressemblait à un petit fax surplombé d'une hotte en verre. C'était l'appareil ESDA. Ayant bien appris ma leçon, je savais que c'était l'engin qui avait fait tomber le West Midlands Serious Crime Squad[1], et mis au jour quantité d'autres erreurs judiciaires, grâce à Tom Davis, un professeur de l'université de Birmingham qui s'en était servi pour révéler les falsifications réalisées par la police. Davis avait ensuite travaillé sur le meurtre de P.C. Blakelock au cours des émeutes de Broadwater Farm en 1985 et sur les bombardements du pub de Birmingham en 1974,

1. Unité d'élite de la police des West Midlands en Angleterre qui, entre 1974 et 1989, a expédié des innocents en prison en falsifiant leurs dépositions.

deux des affaires les plus médiatiques de l'époque. « L'ESDA est une machine extraordinaire, a-t-il écrit. Elle révèle des informations, non seulement jusque-là complètement invisibles, mais dont même l'existence était inconnue. » Lorsque le détective privé m'avait parlé de ce procédé, j'avais plaisanté en disant que, dans un monde idéal, l'auteur de la lettre aurait noté son nom et son adresse sur la feuille précédemment détachée du bloc.

– Il y a une pompe à vide dans le bas de la machine, qui tire le document vers le bas au travers de minuscules orifices et le plaque sur un plateau, m'expliqua l'expert. Si nous recouvrons le document de polyester afin de le protéger, on peut soumettre le papier à une décharge de 5 000 volts d'électricité statique. Avec ça, les entailles du papier vont se soulever. Ainsi, même si concrètement vous ne voyez rien sur la feuille, écrit à l'encre, il y a des foulages dessus. Puis on pulvérise le document, par-dessus le plastique, avec des granules de charbon qui vont adhérer aux sillons, aux zones de déformation de la feuille, s'il y en a. Ensuite, si on est très malin, on ôte le polyester, on le dépose sur un papier blanc et on le photocopie, afin d'avoir un enregistrement des foulages.

Merveilleux !

– Pour faire cela, continua l'expert, il faut humidifier le document. C'est un procédé très simple ; on dépose le document sur un plateau rempli d'eau jusqu'à humidifier le papier. Cela permet à l'électricité statique « d'attraper » les entailles du papier.

Tout cela me semblait être l'une de mes pistes les plus prometteuses – et le détective était gagné par mon optimisme. Il était prêt à commencer. Il enfila des gants de chirurgien en latex et commença à sortir la lettre de la bouteille. J'appréciai la conscience professionnelle qui l'avait poussé à mettre des gants. Je remarquai que ses doigts tremblaient légèrement et j'étais ravie de constater que même un expert était excité à l'idée de résoudre l'énigme.

Mais nous fûmes bientôt confrontés à un premier problème : la lettre était roulée en un tube extrêmement serré, d'environ un centimètre de diamètre. L'expert la déroula et puis déplia les pages.

– Ces plis vont peut-être poser problème à l'appareil, s'inquiéta-t-il en s'efforçant d'aplatir les feuillets.

Les choses s'aggravèrent.

– Il y a du texte au recto et au verso. C'est un problème pour la machine parce qu'une des faces est imprimée sur l'autre.

Je sentis mon optimisme se dissiper. Et alors que je lui faisais remarquer qu'il n'y avait rien d'écrit au dos de la troisième page, l'expert découvrit le dernier obstacle.

– Cette feuille est légèrement plastifiée et il va falloir faire très attention. L'encre n'a pas réellement pénétré dans le papier. Elle est restée en surface. Elle a séché, mais ne l'a pas imbibé. Nous aurons beaucoup de chance si nous trouvons quelque chose.

Je lui montrai la tache qu'avait faite la graphologue. En voulant vérifier si la lettre avait été écrite avec un stylo Rollerball, cette dernière avait léché son doigt et, avant que j'aie pu l'en empêcher, l'avait essuyé sur un mot du texte. L'encre avait suivi le tracé de son index sur le papier en laissant une petite traînée bleue.

– Oui, cela m'ennuie, confessa l'expert. Au contact de l'humidité, l'encre va couler. Si nous déposons la feuille dans l'humidificateur, vu l'encre et le papier, ça va causer beaucoup de dégâts. L'encre va dégouliner de la page. Ce sera la fin de tout.

J'éprouvais un immense désir de protection envers cette lettre. Quand la graphologue avait taché le mot, cela m'avait agacée. J'avais ressenti comme une sorte de choc physique, une exaspération qui n'était pas liée au fait qu'elle avait probablement pollué le document en y laissant une trace ADN avec sa salive. Je n'étais pas prête à prendre le risque de mettre la lettre dans un humidificateur et de me retrouver avec une feuille blanche et un bol rempli d'encre bleue. Et d'une certaine façon, en s'accrochant à son mystère, la lettre semblait une fois encore manifester son importance et son prestige, même aux yeux de ce professionnel intelligent, équipé d'une batterie d'appareils techniques.

Nous décidâmes cependant d'analyser la lettre avec le testeur ACO puisque cette machine ne causait durablement aucun dommage concret. L'expert déposa les feuilles aplaties, une par une, sous le filtre et régla les cadrans jusqu'à ce que l'encre disparaisse du papier.

– Il y a une rayure là, une légère trace de correcteur blanc.

Cela confirmait ce qu'avait dit la graphologue : l'auteur avait visiblement utilisé un guide-âne, car les lignes étaient parfaitement superposées au recto et au dos de la lettre. Il n'y avait aucune autre impression sur la feuille, et l'expert m'assura que l'ESDA n'aurait par conséquent fourni aucune information supplémentaire même si nous avions pu l'utiliser. Cela semblait plausible puisque la lumière fluorescente n'aurait sûrement révélé aucune trace non plus. L'expert estimait comme moi que les pages avaient été détachées d'un bloc, qu'il y avait des petits arrondis au sommet de la page à l'endroit où elle avait été déchirée et que cette feuille avait sans doute été arrachée de la gauche vers la droite.

– Cela limite les recherches, s'exclama-t-il en cherchant visiblement à me consoler suite à l'échec de l'analyse ESDA.

– Quoi ? Aux gens qui possèdent un bloc ?

– Oui, acquiesça-t-il. Ils sont peut-être soixante milliards.

– Vous oubliez francophone et de sexe féminin, lui rappelai-je.

(Nous échangeâmes un sourire.)

– Eh bien, j'y suis presque !

*

* *

Ma démarche suivante consista à téléphoner à une boutique spécialisée dans le ruban, de réputation internationale. Les mèches de cheveux avaient été réunies à l'aide d'une sorte de ganse étroite bleu clair. Le magasin que j'avais sélectionné se trouvait à Londres, ce qui me permettrait de mener la conversation dans ma langue maternelle, mais en raccrochant je n'étais pas certaine d'avoir réussi à me faire clairement comprendre. Cependant, j'étais parvenue à établir le fait qu'ils pourraient sans conteste me renseigner sur le ruban ; bien qu'ils ne révéleraient jamais leur source de fabrication, peut-être seraient-ils en mesure de me fournir quelques informations utiles. J'avais des doutes à ce sujet vu la façon dont avançait cette enquête, mais quitte à se raccrocher à quelque chose, pourquoi pas à un ruban…

La boutique était située dans l'un des quartiers les plus huppés de Londres. C'était une véritable caverne d'Ali Baba, pleine de passementeries colorées, de cravates et de décorations, où se pressaient badauds et amoureux du ruban. Le directeur du magasin me fournit la réponse après un seul coup d'œil sur le minuscule bout de tissu bleu pâle.

– C'est un Berisford, me dit-il, fabrication française. Il est vendu un peu partout dans le pays. (Son regard se posa dessus à nouveau.) Cette couleur a été baptisée Ciel, c'est du 10 millimètres. On l'utilise pour les baptêmes, les décorations de tables.

– N'y aurait-il vraiment aucun moyen de remonter jusqu'à la personne qui l'a acheté, ou plutôt celle qui l'a vendu ? persistai-je.

Non. Question idiote, bien sûr.

Les autres clients avaient maintenant interrompu leur inspection des marchandises et le calme était revenu dans la boutique. Certaines personnes examinaient les lieux ; d'autres signalaient par la seule posture de leurs épaules et l'immobilisme de leurs mains qu'elles écoutaient notre conversation avec attention.

J'étais plutôt satisfaite d'avoir ainsi découvert le nom du fabricant de rubans. Comme je l'appris plus tard, la maison Berisford avait été fondée à Congleton dans le Cheshire en 1858 par trois frères, Charles, William et Francis. Congleton était devenu un centre de filature et de tissage de la soie dès le début des années 1750. Son rachat en 1992 par une société suisse avait permis de donner à sa production « un aspect plus européen ». Ces recherches sur le ruban se transformaient en une simple enquête pour l'amour de l'art, même si j'étais parvenue à m'assurer que la marque était vendue dans plusieurs régions de France. J'avais espéré contre toute attente que le ruban serait tellement exceptionnel qu'il pourrait me fournir quelques indices, mais la piste, une fois suivie, s'était révélé ce qu'elle était : un faux espoir.

Le seul autre élément matériel sur lequel je n'avais pas encore enquêté était le pot-pourri de copeaux de bois de santal inclus dans la bouteille, mais me lancer sur la piste se serait apparenté à de l'obsession. Je n'avais pas besoin d'un commerçant condescendant pour savoir qu'analyser ce pot-pourri était une perte de temps. À vrai dire, je n'étais pas loin de déprimer et de me demander si cette enquête n'était pas juste un transfert, une façon pour moi de combler un manque dans ma vie. Peut-être me fallait-il trouver un travail – même caissière de supermarché – pour chasser de mon esprit ce mystère insoluble.

CHAPITRE 18

Un jour, une amie m'apporta un cadeau.

– En le voyant, j'ai pensé à tes recherches et je n'ai pas pu résister, me confia-t-elle.

Dans un splendide papier d'emballage se trouvait un kit pour fabriquer une bouteille à la mer. C'était une jolie petite boîte couverte d'images triviales et rebattues : une île déserte, des dauphins qui s'ébattaient, un voilier à trois mâts, une mouette, une baleine, une étoile de mer. Dedans il y avait une bouteille en verre avec un bouchon, un petit sachet de cire à cacheter et une bougie chauffe-plat. Le message était déjà rédigé, il ne restait qu'à combler les blancs :

Ohé,

Soyez informé que (… nom)
A lancé cet appel le (… date)
Je vis à (… lieu)

Et au centre d'un instantané de gilet de sauvetage, se trouvait un petit espace pour y intégrer une photographie. Rien n'aurait été plus facile à réaliser ! J'étais très émue qu'elle ait pensé à moi.

*
**

Alors que je remettais le sac de cire à cacheter sous la bouteille et refermais le couvercle du kit, j'aperçus un hélicoptère rouge immobilisé devant la fenêtre de mon bureau et cherchant visiblement un endroit pour atterrir. Puis il vira abruptement et se posa à une centaine de mètres de la route, sur une partie de terrain dégagé. La police installa un périmètre de sécurité dans ma rue et lorsque je demandai à un officier ce qui s'était passé, il m'expliqua qu'un jeune garçon revenant de l'école avait été renversé sur le passage piéton et que l'hélicoptère le conduisait à l'hôpital. Ce jour-là, mon fils rentrait de l'école tout seul pour la première fois, d'abord en bus puis en train. Il avait tenté l'expérience les deux jours précédents, mais comme les autocars ne s'étaient pas arrêtés et que la nuit tombait, au bout d'une heure et demie j'étais allée le chercher. Ce jour marquait sa troisième tentative et il était déterminé, si le bus l'ignorait encore, à se rendre à pied jusqu'à la gare. Je calculai rapidement où il pouvait se trouver… Non, il n'était pas encore sorti de classe… Ma fille elle aussi était encore à l'école pour une répétition de théâtre. Puis je songeai à Maurice et j'éprouvai soudain un immense élan de compassion pour ce garçon et sa mère. Ce n'est pas parce qu'on est paranoïaque que son enfant n'est pas en danger. La vie est fragile. De nouveau, je me sentais en pleine empathie avec le chagrin de cette mère.

Entre mes tentatives pour découvrir l'auteur de la lettre et les trivialités inhérentes à la vie de toute mère de famille – dont les précieux neurones ne servent qu'à se souvenir du cycle de lavage auquel sont arrivées les fringues de rugby, à l'endroit où l'on a caché la rédaction d'histoire, à jongler constamment avec les nécessités scolaires et domestiques, les trajets, les manifestations sportives, les devoirs, la vie sociale des enfants –, je sortis promener le chien en remerciant le ciel pour tous ces précieux petits instants sans importance.

Dans le parc, je rencontrai une femme qui était triste parce qu'elle avait envoyé son enfant en pension.

– Je suis sûre que je vais m'habituer, me dit-elle.

Pourtant, ses yeux brillaient d'une lueur paniquée à la perspective de ces journées vides, autrefois emplies de trajets vers l'école et de goûters, de leçons de tennis, de courses le week-end en famille et de repas du soir à préparer. Mieux valait cette routine monotone et cette garantie qu'on a besoin de vous. Mieux valait cela que l'horrible absence d'une part de soi-même.

Je commençais désormais à attirer des bâillements compatissants chez mes amies lorsque je leur disais qu'il me restait encore quelques pistes à étudier – « Tu l'as trouvée finalement ? Quoi, ne me dis pas que tu cherches encore ! ». Mais je continuai à croire que je n'avais pas encore exploré tous les indices potentiels que pouvait receler la bouteille. Il y avait sûrement, quelque part dessus, une sorte de code pour assurer sa traçabilité, un moyen pour Evian de la rappeler en cas de problème. J'appelai de nouveau mon contact au siège social de la marque. L'employée était peu désireuse de rouvrir un dossier qu'elle estimait avoir étudié en profondeur, surtout depuis qu'elle avait suggéré un lien entre la lettre et le film *Une bouteille à la mer*. En outre, elle avait un emploi du temps chargé et il me fallut plusieurs semaines pour la coincer entre divers déplacements marketing en Chine et au Pérou.

Au départ, cependant, elle continua de nier qu'il puisse y avoir un problème exigeant de la société l'obligation d'assurer la localisation de leurs bouteilles.

– Mais s'il y a un éclat de verre ou autre chose… attaquai-je.

Elle m'interrompit. Visiblement, la possibilité d'un problème de ce genre était une éventualité mal acceptée au service des relations extérieures. Je fis une autre tentative :

– On peut lire le numéro 46 à la base, et en bas sur le côté de la bouteille, parallèlement à la soudure le long du verre, il y a les chiffres 3 06832 0011516.

Pourquoi ne ferais-je pas un saut en avion pour vous le montrer ?

– Je ne serai pas là. Il n'y a pas d'autres découvertes à faire sur ce produit – vous perdriez complètement votre temps, répliqua-t-elle fermement. Attendez, je vais chercher ma bouteille.

Quelques minutes plus tard, elle revint au téléphone.

– Quel était le numéro ?

Je le répétai.

– Non, il s'agit simplement du code barre, ma bouteille possède exactement le même numéro, dit-elle.

– Il doit bien y avoir un moyen…

Je ne supportais pas l'idée de raccrocher après avoir réussi à mettre la main sur elle.

– Normalement, il y a une espèce d'étiquette en plastique autour du goulot, proposa-t-elle. Mais je suppose qu'elle n'est plus là.

– Non, concédai-je tristement. Et dans le bouchon, il est écrit simplement PP. C'est quoi PP ?

– Polypropylène. (J'entendis son *tss tss*, exprimant son agacement devant ma stupidité.) Et le code sur le bouchon couronne en métal précise la date d'embouteillement.

– Quel bouchon en métal ?

– Eh bien, par exemple, sur mon bouchon, je peux vous dire que cette eau a été embouteillée à 16 h 15 le…

– La mienne n'a pas de bouchon en métal, juste une sorte de bande adhésive blanche.

Avec un soupçon d'impatience, et avec l'effort délibéré qu'on prend pour s'adresser à des étrangers ou des gens peu intelligents, elle m'expliqua :

– D'abord, vous avez un capuchon pointu en plastique bleu... Enlevez-le... Dessous, vous voyez le bouchon métallique... Eh bien, sur le côté, il y a le code de l'usine et des détails de production.

– Oui, je comprends. C'est juste que cette bouteille n'a plus de bouchon en métal.

– Eh bien, vous voyez ! (Un haussement d'épaules invisible mais décisif.) Même si vous l'aviez, vous ne pourriez remonter que jusqu'à l'usine, pas au point de vente. Mais de toute façon, comme vous n'avez pas le bouchon, il est absolument inutile que vous preniez l'avion pour venir nous voir.

La pensée d'une Anglaise excentrique apparaissant sur le seuil de la société Evian s'était très efficacement infiltrée dans son cerveau. Tout comme moi qui l'avais imaginée en tailleur Chanel, avec une coiffure impeccable et des ongles manucurés, elle devait s'être fait une opinion : une espèce de folle obsédée, radotant à propos d'une épave trouvée sur la plage.

Quand elle eut raccroché, je fixai la bouteille un long moment. Comment l'auteur de la lettre avait-elle réussi à la rendre étanche en la fermant simplement avec de la bande adhésive ? Je décidai d'essayer d'ôter ce bout de Scotch blanc qui avait servi à la sceller. Et soudain, j'aperçus comme une lueur bleue sous la colle. Avec l'excitation digne d'un chasseur de trésors, j'enlevai une ou deux couches d'adhésif supplémentaires et dégageai le bouchon. Mon cœur battait de plus en plus vite et je me demandai quelle serait ma réaction devant l'imminence d'une découverte.

DE : Karen Liebreich
À : Madame Evian
Sujet : Une bouteille à la mer

Chère (Madame Evian)
Je vous prie de m'excuser de continuer à vous harceler au sujet de cette bouteille à la mer. Après notre conversation de la semaine dernière, j'étais plutôt déçue. Mais j'ai regardé la bouteille de plus près et j'ai commencé à enlever la bande adhésive et à gratter la glu. En fait, il y a bien un bouchon, bien qu'il soit assez endommagé par la colle et par les efforts que j'ai faits pour le sortir du capuchon en plastique dans lequel il a été enfoncé. Le code sur le bouchon est : 297 : 34.

Qu'est-ce que cela signifie ? Je sais que vous êtes en déplacement et que mes demandes de renseignements doivent passablement vous irriter, mais j'ai le sentiment que je dois suivre cette piste jusqu'au bout.

Merci beaucoup pour votre aide.
Cordialement.
Karen

De : (Madame Evian)
À : Karen Liebreich
Sujet : Une bouteille à la mer.

Veuillez trouver ci-dessous quelques réponses à vos questions, mais JE NE PEUX PAS FAIRE PLUS.

Voilà des renseignements à propos de la production de la bouteille :

– Cette bouteille Millenium 2002 a été produite le 24 octobre 2001.

– Elle provient d'une « caisse » de production, en d'autres termes d'un stand de présentation pour grandes surfaces à destination de la Metro.

– Durant cette journée du 24 octobre 2001, nous avons produit 130 caisses, en d'autres termes 60 840 bouteilles.

– Durant la semaine du 22 au 26 octobre 2001, nous avons produit 649 caisses, en d'autres termes 303 732 bouteilles.

Mais vous devez considérer qu'un citoyen anglais a très bien pu acheter cette bouteille en France et rentrer en Angleterre avec… Donc, vous cherchez vraiment une aiguille dans une botte de foin.

Pour nous, le dossier est maintenant complètement réglé.

Cordialement.

Je ne m'étais pas trompée sur les sentiments de la dame d'Evian à mon égard. Elle m'avait rendu service, elle avait fait son devoir, elle avait répondu aux questions de la folle. Notre relation était désormais complètement terminée. Mais elle m'avait fourni d'autres indices. Juste au moment où je m'apprêtais à laisser tomber l'enquête, voilà que l'affaire repartait…

Ainsi l'auteur de la lettre était probablement une Parisienne, puisque les bouteilles étaient « à destination de la Metro ». En rentrant en hâte, un jour, de son travail, à travers les couloirs bondés, la mère inconnue avait fait halte devant un stand d'eau minérale rempli de splendides bouteilles en forme de larmes. Ces dernières semblaient lui faire signe et lui parler de vagues et d'écume, à travers la crasse de ce déplacement urbain. Elle avait cherché désespérément quelques pièces au fond de son sac. Elle utiliserait la bouteille pour envoyer un message…

Mais… avant de sauter à la conclusion : n'y avait-il pas de métros dans d'autres grandes villes françaises ? Si l'usine connaissait la date de production de la bouteille, pourquoi la société Evian ne pouvait-elle pas remonter précisément au métro qu'elle avait livré ? Mais la dame de chez Danone était manifestement si fatiguée de toute cette histoire et de moi que je n'osais pas lui réécrire. J'envoyai donc par mail une demande d'informations désespérée à cinq amies françaises.

Ces dernières commencèrent à répondre :

Es-tu sûre qu'elle a écrit « LA Metro » ? Dans ce cas, ça veut dire la France métropolitaine, en d'autres termes que le produit n'était pas destiné à l'exportation ou à une autre destination que le continent.

Peu de temps après, une deuxième amie me répondit :

Mauvaise pioche, il y a des métros dans toute la France.

Une amie dont le mari est un historien français spécialisé dans la Première Guerre mondiale fut la troisième à donner suite à mon e-mail. Les livres de son époux s'intéressent aux relations historiques entre les mères et leurs enfants : les femmes endeuillées dont les fils ont été tués sur les champs de bataille, le conflit entre l'affection maternelle et la révulsion que les femmes violées peuvent éprouver envers le rejeton né de cette agression. Cette amie m'écrivait :

Malheureusement, il existe de nombreux métros. Va voir sur leur site.

Je cliquai sur le lien qu'elle avait joint dans son mail et découvris que Metro est le cinquième leader mondial de distribution, Walmart étant le numéro un. Metro gère les magasins Cash & Carry dans tout le nord de la France. Le plus grand – seize mille mètres carrés – se trouve à Lomme/Lille, le deuxième à Rouen. Rien que le long de la côte, il y a deux magasins, l'un à

Caen, l'autre à Calais. Ce développement linguistique était soudain et malvenu.

– Comment sais-tu qu'il ne s'agit pas du métro souterrain ? demandai-je.

La réponse fut ferme.

– Les mots « grandes surfaces » dans le mail d'Evian veulent dire supermarchés, écrivit-elle. En outre, il n'y a pas de lettre capitale au mot Metro, sans doute parce que c'est une abréviation de « la société Metro » – c'est aussi pour cela que le nom est au féminin.

Ma vision de l'auteur de la lettre s'arrêtant pour acheter une bouteille d'eau dans le métro parisien bondé avant d'être soudain prise d'une envie urgente de lancer une bouteille à la mer, s'évanouit.

*

* *

Je parlai au directeur de distribution du Metro de Calais, un immense entrepôt situé dans les faubourgs de la ville. Je lui expliquai que la société Evian avait livré des bouteilles Millenium peu après le 24 octobre 2001 et lui demandai s'il y avait un moyen de savoir dans quel magasin Metro ces dernières avaient été expédiées. « Si vous avez gardé le ticket de caisse de la bouteille, me dit-il, je pourrai vous renseigner. » *Si j'avais ce ticket*, me retins-je de riposter sèchement, *je n'aurais pas besoin de vous appeler*. Le nom du magasin et son adresse seraient probablement écrits dessus.

Mais comme il se montrait amical, je lui racontai toute l'histoire. Il se montra d'une disponibilité aussi décourageante que tous ceux – ou presque – qui s'étaient déjà intéressés à cette affaire. Il m'assura qu'étant donné sa connaissance des courants de marée en Manche – expérience acquise à force de décharger des produits de supermarché à l'arrière de l'entrepôt –, il était probable que c'était son magasin qui avait vendu la bouteille.

Bizarrement, je me remettais à apprécier cette enquête. L'histoire que je racontais à chaque nouvel interlocuteur possédait une véritable puissance émotionnelle, et bien qu'il m'arrivât de soupirer intérieurement en la reprenant depuis le début, je n'étais pas lasse de parler de cette mère accablée, de son fils disparu et de mes efforts pour la retrouver. Pour la première fois, je comprenais qu'elle m'avait permis de faire de nouvelles connaissances. Dans quelle autre circonstance aurais-je eu la chance de rencontrer des agents secrets, des directeurs d'entrepôts, des cadres de relations publiques de haut niveau, des experts en médecine légale et de la police scientifique ? Toutes ces recherches n'étaient peut-être qu'une façon de combler ma solitude pendant que les enfants étaient à l'école et mon compagnon à son travail ? À moins qu'il ne s'agisse d'un moyen de me livrer à l'étude de la nature humaine par le biais d'une correspondance privée, plutôt que de m'inscrire à des cours du soir ? Il était certain que j'apprenais quantité de choses dans divers domaines ésotériques, mais peut-être encore davantage sur moi-même. J'avais été choquée devant la rapidité et l'étroitesse avec lesquelles j'exerçais mon pouvoir de logique et légèrement inquiète devant le désir obsessionnel que j'avais de retrouver la mère. J'avais été forcée d'approcher l'idée de la mort et m'étais rendu compte à quel point mon esprit était peu désireux de se confronter à cette possibilité en ce qui me concernait, moi ou ceux que j'aimais.

J'avais également pris conscience des limites de mon français. L'épisode Metro se révélait être une nouvelle digression. Chaîne de supermarchés ou moyen de transport, cela ne m'avançait à rien. Le temps était venu de médiatiser mon enquête, et de suivre en cela les conseils du bulbologue et du détective privé. Je décidai d'y aller progressivement.

CHAPITRE 19

Je téléphonai à *La Voix du Nord*, le quotidien régional du nord de la France dont j'avais exploré en vain les rubriques nécrologiques quelques mois plus tôt, en expliquant que je souhaitais déposer une petite annonce. La femme qui s'occupait du service me demanda dans quelle section du journal je souhaitais la publier. Lorsque je lui racontai de quoi il retournait, elle se montra perplexe – elle n'avait aucune idée de l'endroit où passer un tel appel. Souhaitais-je parler à la rédaction en chef ? Je sautai sur l'aubaine. Apparemment intéressé, le rédacteur en chef me pria de lui envoyer une photo de moi et de la bouteille prise sur la plage. Je courus chez ma voisine et enrôlai son fils pour qu'il file avec moi sur les berges de la Tamise avec son appareil photo. Sa mission était simple : donner à cette rive boueuse à marée basse l'aspect de la mer à Warden Bay sur l'île de Sheppey ; me transformer en créature élancée, blonde et irrésistiblement attirante ; et rendre cette bouteille mystérieuse et fascinante.

Bien sûr, tout cela était impossible, mais comme la bouteille avait finalement fière allure sur la photographie, j'envoyai aussitôt cette dernière, accompagnée d'une courte explication, au rédacteur en chef de *La Voix du Nord*.

Encouragée par l'accueil reçu, je décidai de lancer mon filet encore plus loin. Je publiai une petite annonce dans le quotidien national *Libération*. La responsable du service commercial m'annonça que le choix de la rubrique ne posait pas de problème – Entre nous - Recherche –, mais que le texte que j'avais rédigé était nul. Elle passa vingt minutes à le retravailler avec moi pour finir par me signaler que l'annonce avait douze lignes de trop et me coûterait une fortune. Il nous fallut encore cinq bonnes minutes pour le raccourcir afin qu'il atteigne une taille moins onéreuse.

Trouvé
Une bouteille à la mer…
Maurice décédé à 13 ans
Qui est sa maman ?
bouteillealamere@hotmail.com

Tout en notant les informations relatives à ma carte de crédit, elle exprima l'espoir que cet appel donnerait des résultats, non sans me faire remarquer avec tristesse qu'on ne la tenait jamais informée des retombées des annonces. Quand je lui proposai de l'appeler si c'était positif, elle m'offrit par reconnaissance une autre insertion gratuite.

Libération… Deux encarts étaient parus sans susciter la moindre réaction. Pour une raison que j'ignorais, mon annonce avait été placée dans la sous-section Vie pratique de la rubrique Entre nous et elle y était seule. Je crois que j'aurais préféré les Messages personnels. Ainsi, j'aurais pu voisiner avec : « Je suis heureux d'être immortel pour pouvoir t'aimer toute l'éternité », « Pourquoi m'as-tu abandonné ? » et « Oui, c'est vrai. À bientôt, j'espère ».

Quand il ne resta plus qu'une petite annonce du samedi entre mon désespoir et moi, je vérifiai mon compte Hotmail et vis qu'un message m'y attendait. C'était le premier qui ne venait pas de l'équipe Hotmail. *Peut-être est-ce une piste importante*, me dis-je. Mon cœur se mit à battre de façon désordonnée et ma poitrine se serra.

Bonjour,

Je vous prie de m'excuser, mais j'ai lu votre petite annonce dans Libé. *Je voudrais faire un reportage sur les bouteilles qu'on peut trouver sur les plages. Cependant, je n'ai pas assez d'informations et c'est pour cela que je vous écris. S'il vous plaît, donnez-moi plus de renseignements.*

Merci d'avance.

Mon cœur reprit son rythme normal.

*
* *

À chaque fois que j'ouvrais ma messagerie, je ressentais la même tension. Mais les jours passaient et rien ne venait. Je téléphonai à *La Voix du Nord*. Avaient-ils reçu les photographies de moi et de la bouteille, avec la Tamise à la place de la mer ? Ils décidèrent finalement de publier l'article. Mais je ne pus trouver nulle part un exemplaire de *La Voix du Nord* à Londres et je ne savais pas du tout ce qu'ils avaient écrit.

Lors de sa dernière parution dans *Libération*, ma petite annonce en côtoyait quatre autres au sein de la rubrique, ce qui donnait un mélange assez hétéroclite. Certaines personnes cherchaient un logement, une aide pour traduire du suédois, un ancien joueur professionnel de football demandait des suggestions en vue d'une reconversion et il y avait même des gens qui réclamaient de façon très directe de l'argent pour démarrer une nouvelle vie.

Le rédacteur en chef de *La Voix du Nord* avait promis de m'envoyer une copie de leur papier. Dans cette attente, j'ouvrais ma messagerie e-mail résolument vide dix fois par jour. Et bientôt je compris qu'il ne suffisait pas de publier une petite annonce dans un seul quotidien national et que j'aurais tort de me contenter d'un unique article dans le principal organe de presse du nord de la France. Ainsi, convaincue qu'il était nécessaire d'amplifier la médiatisation, je téléphonai au *Figaro*. Là aussi, la standardiste avait besoin de savoir exactement quel genre d'annonce je voulais déposer.

– Une qui permet de retrouver une personne qui a lancé une bouteille à la mer, rétorquai-je d'une voix empreinte de lassitude.

Le plaisir de raconter mon histoire à des interlocuteurs nouveaux avait disparu.

– Je vous passe la rédaction en chef, dit-elle après un instant de réflexion.

De nouveau, j'expliquai à un journaliste que j'avais essayé de déposer une petite annonce, mais que la réceptionniste avait pensé que cela pourrait intéresser la rédaction.

– Nous ne faisons pas les bouteilles à la mer, me coupa-t-elle.

Voilà qui n'était pas banal.

– Pouvez-vous m'expliquez pourquoi ? demandai-je, intriguée.

– Nous ne les faisons pas, c'est tout !

– Y a-t-il une raison à cette politique éditoriale ?

– Nous ne les faisons jamais.

Sa réponse m'agaça… Je n'avais pas demandé à ce qu'on me passe la rédaction en chef, mais puisque j'étais en ligne avec un représentant de la rédaction, je n'allais pas me laisser rembarrer aussi facilement. Je demandai à parler à son supérieur, et elle accepta à contrecœur. Une fois de plus, j'expliquai mes exigences. Le patron couvrit partiellement le combiné de sa main et hurla à la cantonade les éléments de mon histoire à un rédacteur…

– Il y a une femme qui a trouvé une bouteille, avec une lettre dedans, en Angleterre. Ça t'intéresse ?

– Oui, peut-on avoir des détails ?

– Un journaliste vous contactera…

Au cours des semaines suivantes, j'essayai à une ou deux reprises de déposer une annonce, mais à chaque fois on me mettait en relation avec la rédaction en chef qui ne me rappelait jamais. Qui aurait pu penser qu'il était si difficile de dépenser de l'argent en vue de récolter des informations ?

L'article paru dans *La Voix du Nord* arriva finalement par la poste, plusieurs semaines après sa parution. De taille satisfaisante et illustré par la photographie, il s'accompagnait d'un texte au ton plaintif et de mon adresse mail correctement orthographiée. Mais il ne donna lieu à aucune réponse – ni à moi ni au journal.

Voyant qu'après avoir fait obstruction à ma volonté de déposer une petite annonce, *Le Figaro* ne donnait pas suite à ce qui au départ l'avait intéressé, je décidai d'essayer un autre média. J'adressai un mail à la principale station de radio de Calais, dans un style que je pensais approprié, décontracté et optimiste.

Bonjour, je vous écris de Londres. J'ai trouvé une bouteille sur une plage anglaise avec une lettre écrite en français dedans. Qui est Maurice, mort à treize ans ? Cette lettre m'obsède. Pouvez-vous demander à vos auditeurs s'ils auraient des renseignements ?

Je fis suivre ce courrier par un coup de téléphone et, dans un premier temps, le producteur se montra séduit par mon histoire. Cependant, il avait toujours un travail plus urgent à finir et après avoir constaté à plusieurs reprises qu'on cherchait à se débarrasser de moi, mon enthousiasme s'envola.

J'approchais de la fin de ma quête. Arrêter cette enquête maintenant me donnait l'impression d'avoir égaré un roman policier captivant, trente pages avant d'avoir lu la fin et découvert l'identité du coupable. Mais je n'avais pas le choix. Je ne savais absolument pas comment m'y prendre pour passer à la télévision française, ce qui semblait le seul moyen pour retrouver l'auteur de la lettre. Quand mon amie, la promeneuse de chiens, me téléphona pour discuter avec moi et me demander comment avançait l'enquête, je lui annonçai qu'elle était terminée. J'avais fait tout ce qui était en mon pouvoir. J'avais dépensé mon temps, de l'argent, de l'énergie à m'entretenir avec une liste interminable de statisticiens, de détectives, de journalistes, un astrologue et une tarologue. Je m'étais libérée de cette histoire, j'avais en quelque sorte gratté la croûte, maintenant j'allais essayer de la laisser cicatriser. J'étais devenue irritable. J'en voulais presque à mon amie de m'avoir montré cette lettre.

– C'était un message affreux, m'avoua-t-elle. Je ne l'ai lu que deux fois. Cela m'a tellement bouleversée que j'ai été obligée de le mettre de côté. Je ne l'ai plus regardé depuis.

En raccrochant, je me rendis compte que la mère inconnue et son chagrin avaient presque disparu devant l'excitation – et plus récemment la lassitude – engendrée par l'enquête elle-même.

Dans la frénésie de mes rencontres avec les détectives et les astrologues, mes fouilles dans les archives et mes pérégrinations dans les magasins de rubans, j'avais laissé en quelque sorte s'enfuir ce qui faisait l'essentiel de cette histoire : sa tragédie.

Ce soir-là, je relus la lettre et pleurai de nouveau. Le lendemain matin, dans un ultime regain d'opiniâtreté, je repassai en revue les notes que j'avais prises lors de mes conversations téléphoniques avec différents interlocuteurs. Il restait encore deux pistes non explorées... *Je vais les suivre*, pensai-je. La première est un contact dans la police, l'autre est du genre New Age. Et puis je serai libérée.

L'une de mes amies françaises m'avait parlé d'un de ses proches qui était commissaire de police à Rouen. Après la mauvaise expérience vécue à Paris avec le patron des renseignements qui m'avait beaucoup promis, je ne m'attendais pas à un accueil chaleureux. Mais je me trompais. L'homme avait été prévenu par notre amie commune et il attendait mon appel. Je lui expliquai au téléphone les grandes lignes de l'affaire et attendis son analyse.

Elle arriva dans l'heure qui suivit sous la forme d'un e-mail :

Je pense qu'il peut s'agir d'un suicide d'un adolescent. Ce n'est pas une certitude, juste une impression donnée par les expressions que la mère a utilisées.

Il me suggérait d'autres pistes que j'avais déjà toutes suivies. Il niait aussi farouchement l'existence d'une quelconque base nationale de données secrètes qui regrouperait les certificats de décès, de naissances et de mariages conservés dans les mairies, comme l'avait sous-entendu le patron des renseignements. Il ne pouvait m'offrir aucune aide concrète, juste son opinion. Visiblement, il n'existait aucun moteur de recherche sur ordinateur capable de faire apparaître la mort de Maurice avec les seuls mots de « Maurice, âgé de treize ans ». Cette idée, fruit de mon imagination débordante, n'avait germé dans mon esprit que par la faute de ce décevant patron des renseignements.

Le dernier numéro de téléphone figurant dans mes notes – et que je n'avais pas encore appelé – était celui d'une radiesthésiste, une professionnelle du pendule. C'était suite à une rencontre avec elle que la tarologue, que j'avais consultée quelques mois auparavant, avait décidé de se lancer à la recherche de sa mère – recherche qui avait duré deux décennies. Le pendule l'avait menée dans un petit village du sud-ouest de la France et l'avait rassurée en lui disant que sa mère était toujours en vie et qu'elle serait heureuse d'avoir de ses nouvelles. Apparemment, il avait su prédire à la fois le lieu où elle se trouvait et l'ambiance de la future rencontre.

La radiesthésie, ou sourcellerie, est pratiquée par des personnes dotées d'une sensibilité hors normes qui utilisent comme accessoire un pendule ou une baguette pour amplifier leurs messages. Habituellement le pendule se présente sous la forme d'une petite sphère attachée à un fil souple à l'extrémité d'un bâton. Le fil est constitué d'un matériel non tissé, tel que le Nylon, afin de ne pas être soumis à des forces parasites. Le radiesthésiste doit également veiller à ce qu'aucun de ses mouvements ou de ses tressaillements musculaires n'influence l'activité du pendule. Ce dernier peut être utilisé pour localiser des objets perdus et pour des diagnostics médicaux. Le terme radiesthésie a été inventé en 1930 par l'abbé Bouly, en France, à l'époque où le pendule a été préféré à la baguette comme instrument de vibrations. L'Association des amis de la radiesthésie a été fondée en 1930, et la Société britannique des radiesthésistes trois ans plus tard. Lorsqu'on pose une question, la rotation dans le sens des aiguilles d'une montre signifie un oui, et dans le sens contraire, un non. Il existe une version plus sophistiquée appelée téléradiesthésisme ou radiesthésie à distance, qui travaille à l'aide de carte. « Après avoir placé le pendule sur une carte, explique un site d'information spécialisé sur Internet, on peut fournir l'information demandée. »

Le pendule semblait la dernière solution qui s'offrait à moi.

Mais j'étais condamnée à être déçue. La radiesthésiste avait cessé son activité. Doutant brutalement de ses dons, quoique toujours convaincue de la valeur du pendule, elle avait décidé de ranger sa lentille, son fil et sa baguette pour mener une paisible existence de retraitée. Après l'impatience qui m'avait saisie, je ne parvenais pas à envisager d'en chercher une autre. Celle-là m'avait été chaudement recommandée par la tarologue, et j'eus beau tenter de la convaincre de s'occuper d'une dernière affaire, elle resta sourde à mes prières. Cependant, devant mon insistance, elle me fit une autre suggestion.

Elle me recommandait d'aller consulter une voyante à Paris – « la meilleure de France » – et me donna ses coordonnées.

– Ce numéro n'est pas accessible au grand public. Vous êtes très privilégiée d'en disposer, me dit-elle.

CHAPITRE 20

Le site Internet de la voyante parlait de visions, facilitées par des boules de cristal enveloppées de mousseline noire, mais au fur et à mesure de ma lecture mon frisson d'appréhension fut tempéré par mon habituelle bouffée de scepticisme. Elle se disait « la voyante la plus célèbre de France » et s'enorgueillissait d'avoir parmi ses clients une longue liste de célébrités et de personnalités royales de second plan. Selon le site, Madame la Voyante avait une liste d'attente longue de six mois, mais je pus fixer un rendez-vous avec elle quelques semaines plus tard et organisai mon voyage.

La voyante habitait dans un immeuble imposant situé près du boulevard Saint-Germain, sur la rive gauche. En levant la tête, j'apercevais des glycines courant le long des balcons du quatrième étage qui ornaient toute la longueur du bâtiment. Les portes massives de la copropriété, semblables à toutes celles des immeubles parisiens, donnaient dans un hall tapissé de miroirs, et une rangée de poussettes tout-terrain était garée sous l'escalier. À l'interphone, la secrétaire me murmura « quatrième étage » et je me glissai dans un minuscule ascenseur que l'on avait inséré adroitement dans la cage d'escalier, sacrifiant ainsi la pompe du XIXe siècle à la commodité. Bien que seule à l'intérieur, j'avais l'impression qu'on empiétait sur mon espace vital, même si la capacité maximale autorisée était de trois personnes. Alors que je sortais de l'ascenseur et aspirais quelques profondes goulées d'air afin de me préparer, je percutai la concierge qui distribuait le courrier dans les appartements.

Une femme distinguée, élégamment vêtue d'un pantalon et d'un chemisier en lin blanc fraîchement repassés, m'ouvrit la porte aussitôt et me tendit la main en guise de bienvenue. Tandis que je lui serrais la main en tentant de me glisser dans l'entrebâillement, mon pied trébucha sur le paillasson du palier sous lequel la concierge avait glissé des lettres et des paquets. Ce n'était pas le genre d'entrée que j'avais prévue, mais j'éprouvai une sympathie immédiate pour cette femme en la voyant plonger gracieusement pour récupérer son courrier avec un certain aplomb.

La voyante me fit entrer dans son bureau et disparut quelques instants, me laissant le temps de m'éclaircir les idées et de jeter un coup d'œil autour de moi. L'appartement était vaste, haut de plafond, mais bourré à craquer d'œuvres d'art, de peintures, de sculptures et de bibelots, essentiellement de style Louis XV. Derrière la table de travail était accroché un immense portrait du XIXe siècle d'une très jolie femme en robe rose serrant contre elle un petit bouquet. Chaque centimètre de mur était couvert de tableaux, y compris d'œuvres signées par Toulouse-Lautrec. Dans un coin de la pièce se trouvait un petit clavicorde. Sur les tables basses, se trouvaient des livres d'art et des magazines. Les étagères s'ornaient de plusieurs photographies d'un séduisant jeune homme qui, de toute évidence, était le fils de la voyante.

Je craignais de laisser transparaître le scepticisme que l'approbation louangeuse des célébrités avaient provoqué chez moi, à la lecture du site Internet et d'être mise aussitôt à la porte (merveilleusement rococo), mais la voyante s'installa derrière son bureau, ses cheveux noirs tirés en un chignon seyant, la main ornée d'une bague impressionnante, et me considéra avec chaleur et bienveillance.

Sa secrétaire m'avait encouragée à « apporter des photos des gens que j'aimais, et tout ce que je souhaitais montrer à Madame ». Je m'étais simplement munie de la bouteille et de son contenu.

Je déballai le tout que je déposai sur la table devant la voyante.

Elle se pencha en avant, dans son fauteuil. Je me sentais en proie à la curiosité et à un certain cynisme.

– Qu'est-ce c'est ? me demanda-t-elle.

– Une bouteille à la mer, je voudrais que vous m'en parliez.

Elle leva un sourcil, visiblement intéressée. Je n'avais pas mentionné la bouteille lors de notre conversation téléphonique et il était peu probable qu'elle en sût quelque chose. Si elle avait cherché des informations me concernant sur Internet, elle n'avait trouvé aucun lien avec les bouteilles à la mer. Ce n'est pas que je cherchais à la tester, mais je souhaitais qu'elle abordât le sujet sans idée préconçue, et sans être influencée par mes recherches antérieures.

– Puis-je l'ouvrir et lire la lettre ? s'enquit-elle.

– Je préfèrerais que vous me disiez ce que vous pouvez avant de la lire répondis-je fermement.

Elle hocha la tête, peu perturbée par cette remarque.

– D'abord, je vais voir si je peux, ou non, capter votre signal. Je vous le dirai si je sens quelque chose. (Elle me tendit un paquet de cartes illustrées.) Battez-les bien, me conseilla-t-elle.

Ce n'était pas un jeu de tarot, mais des images grossièrement dessinées, qui avaient beaucoup servi et dont on avait rafistolé les bords avec de l'adhésif. Quand je lui demandai ce qu'elles représentaient, elle m'expliqua :

– Ce sont mes propres cartes. Elles ne sont qu'un vecteur pour la voyance, ma façon personnelle de travailler. Elles m'aident. Je n'y crois pas plus que ça, elles me permettent simplement de me mettre dans l'ambiance, de créer un lien avec vous. C'est seulement après qu'intervient la voyance proprement dite. Si on n'a pas de vision, ces cartes ne servent à rien.

Comme on m'avait promis des boules de cristal et de la mousseline noire, j'étais un peu déçue. Néanmoins, j'essayai de me concentrer comme elle me l'avait demandé, coupai le jeu et le lui tendis.

– Cette personne est-elle liée à un décès ? s'enquit-elle immédiatement. Je vois la mort. Je vois la mort, quelque chose de très dur, quelque chose comme un appel, un cri... Peut-être un appel à l'aide. Il y a quelque chose de très déplaisant là-dedans, qui me donne mal à la tête, quelque chose de très douloureux.

Elle fronça les sourcils sous l'effet de la concentration et – peut-être – de la douleur.

– Il y a quelque chose de très bouleversant dans votre histoire, quelque chose de douloureux, de difficile. Cette bouteille me procure un véritable sentiment de malaise physique. Elle est liée à la mort. Je me sens vraiment très mal... Je me sens très mal à l'aise.

Je m'efforçai de garder un visage impénétrable pour éviter de lui donner des indices inutiles, mais, au fond, j'étais impressionnée. Une bouteille à la mer n'est pas habituellement liée à la mort. Après tout, les trois quarts des quatre cent trente-cinq messages trouvés dans celles que Wim Kruiswijk avait ramassées au cours de ses deux décennies d'étude étaient simplement à la recherche d'un correspondant – et parmi les autres, aucune ne concernait un décès.

– C'est une femme qui a écrit ? Parce que je vois une femme. (Je hochai la tête.) Je vois une femme qui souffre. Je ne me sens pas bien du tout. J'ai un terrible début de migraine, une migraine très violente.

Je dois dire qu'elle ne semblait pas particulièrement malade. Mais son attitude n'était pas mélodramatique, elle me disait simplement ce qu'elle ressentait. Elle mélangea les cartes à nouveau.

– Donnez-moi treize cartes, ordonna-t-elle. J'ai une migraine épouvantable, vous n'avez pas idée.

Elle étala les cartes sur la table.

– Oui, il y a quelque chose de très difficile, de douloureux ici, il y a une mort en rapport avec cette histoire ; je sens de la violence. Je vois une femme avec des cheveux mi-longs, des cheveux assez longs… (Elle balaya les deux côtés de son visage avec ses mains pour indiquer une chevelure tombant juste en dessous des épaules.) qui pendent comme ça.

Les cheveux imaginaires flottèrent près de son chignon soigné.

– Il y a quelque chose de très troublant, poursuivit-elle en tapotant les cartes abîmées. Je vois une femme avec des cheveux plutôt longs, assez mince, élancée, je vois quelqu'un – c'est très étrange, comment puis-je vous expliquer ça ? Je pense que la personne qui a écrit cela l'a fait délibérément, mais je sens que quelque chose ne va pas dans son cerveau. Je pense que cette femme est … dérangée n'est pas le bon mot. Je dirais plutôt… perturbée.

Jusque-là, elle semblait mettre dans le mille, mais je faisais attention à ne lui donner aucun encouragement.

– Parle-t-elle de la mort d'un homme ? poursuivit-elle. Je vois le décès d'un individu masculin.

– Oui, répondis-je. D'un jeune garçon.

– Oui, il y a la mort d'un individu masculin.

– Comment le savez-vous ? demandai-je en scrutant les images dessinées sur les cartes.

Rien d'évident ou de flagrant – comme la carte de la Mort dans le Tarot – ne l'indiquait.

– Parce que je le vois, riposta-t-elle simplement. Le décès est lié à la violence d'un homme. (Elle hésita et déplaça les cartes.) Oui, cette mort d'enfant est liée à la violence d'un homme. L'enfant est âgé – de quoi ?– dix à quinze ans, douze ?

– Treize.

Elle hocha la tête.

– Je pense que ce décès est lié à la violence d'un homme, parmi d'autres choses… (Elle s'interrompit, puis répéta :) la violence causée par un homme.

Il y eut un silence. Je me demandai de manière un peu fantaisiste si l'enfant n'avait pas été conçu au cours d'un viol. Après tout, il n'était fait mention d'aucun homme dans la lettre. Il n'y avait pas non plus d'allusions à un homme dans la vie de la mère ou celle de l'enfant, ni en rapport avec la mort du garçon.

– Où avez-vous trouvé cela ? Sur la côte anglaise ?

J'acquiesçai d'un mouvement de tête.

– Est-ce que cela vient d'un bateau ?

Cette fois, je haussai les épaules.

– Je pense que ça vient d'un bateau, répondit-elle d'autorité. Je pense que ça vient sans aucun doute d'un bateau. Je vois clairement une femme, je me demande si ça vient d'une femme qui est sur un bateau… Il y a de la violence. Parle-t-elle de violence dans la lettre ? Ou de choses difficiles ?

– Eh bien… Effectivement la mort, c'est difficile, répondis-je sans obligeance.

– La lettre est-elle écrite en français ? coupa-t-elle.

– Oui.

J'essayais délibérément de formuler des phrases dénuées de toute information.

– Oui, je vois une écriture française, cela vient de quelqu'un de français… (Ce n'était pas difficile, puisque je venais juste de lui dire.) Je vois un voilier, une sorte d'embarcation à voile et à moteur, pas très grosse… (Ce n'était donc pas un ferry qui traversait la Manche.) Je vois cette femme, je vois cette mort, je vois de la violence sur le bateau, des cris de violence… C'est étrange, je vois quelqu'un plonger pour essayer d'attraper quelque chose, mais on ne peut pas l'atteindre. C'est comme si on tentait de retrouver quelque chose sous l'eau. Donnez-moi une autre carte. (Elle fixa d'un regard farouche l'image que je lui avais tendue.) Ce n'est pas facile… Donnez-moi une autre carte… La personne qui a fait ça n'est pas très vieille. C'est quelqu'un qui a quarante ans, plus ou moins… Dans la quarantaine, peut-être la cinquantaine. Une autre carte. Une autre… Parle-t-elle de violence avec un homme ? Quelque chose de difficile avec un homme ?

– La mort de son fils, répondis-je aussitôt avant de m'en vouloir.

Je lui avais donné un indice inutile, le lien précis entre la femme et le garçon. C'était comme une partie d'escrime.

Elle hocha la tête comme si ce n'était pas une surprise pour elle.

– Puis-je toucher la lettre maintenant ? demanda-t-elle.

En ouvrant la bouteille et en extrayant les feuilles de papier, elle continua de poser des questions.

– Vous l'avez trouvée, il y a combien de temps ?

– En février... commençai-je avant d'être saisie d'une hésitation pour convertir l'année en français.

– Il y a un ou deux ans ? insista-t-elle.

Pendant ce temps, elle ouvrait la bouteille et dépliait la lettre. La mèche de cheveux s'échappa.

– Ce sont les cheveux du garçon ? demanda-t-elle. En tout cas, la mère a des cheveux comme ça. Exactement comme ça.

Je lui expliquai qu'il y avait deux boucles différentes, entremêlées.

– De toute façon, ce sont les cheveux de la mère, répéta-t-elle. Ils sont exactement de cette couleur.

J'avais encore raté l'occasion d'authentifier ses dires. J'aurais dû lui demander de préciser la couleur des cheveux avant qu'elle voie la boucle.

Elle étala la lettre sur la table.

– L'écriture est celle d'une personne de très perturbée, répéta-t-elle. (Elle secoua la tête.) Avant même de la lire, je dirais que c'est l'écriture de quelqu'un de vraiment perturbé. On peut même dire de quelqu'un qui veut mourir.

Elle jeta un regard rapide sur la première page.

– C'est très long, fit-elle remarquer, découragée par la densité de l'écriture et le nombre de feuilles. Si vous me faisiez un résumé… ?

– Eh bien, commençai-je. Son fils est mort à l'aube de l'été…

– J'ai un terrible mal de tête quand je tiens cette lettre, m'interrompit la voyante. Il y a de la folie chez cette femme. Cette lettre vous semble-t-elle cohérente ?

– Étant donné qu'elle a perdu son fils… louvoyai-je.

– Oui, je vois ce que vous voulez dire. Continuez, m'encouragea-t-elle.

Je survolai à voix haute les phrases les plus marquantes.

– Ma vie a commencé quand tu es né… Il s'est dérobé à la vie… Pardonne-moi d'avoir été si en colère à ta disparition… Je pense qu'il y a eu une erreur…

Je lui parlai de la dernière ligne, celle qui disait que la mère n'allait montrer la lettre qu'à une amie.

– Mon impression est celle d'une femme qui perd la raison. (Elle s'interrompit à nouveau.) Je ressens une douleur incroyablement violente à la tête. Il faut que j'éloigne cette lettre.

Elle se mit à la fourrer dans la bouteille d'une main désespérée. Les autres personnes – la graphologue, mon amie la promeneuse de chiens, l'expert légiste et moi-même – avions traité le message comme une sainte relique, un indice précieux et important, roulant ses pages soigneusement. La voyante était pressée de s'en débarrasser. Mais comme un génie, la lettre ne voulait pas rentrer dans la bouteille sans lutter.

– Cela me fait mal… cria-t-elle.

Je lui pris les feuillets des mains, les enroulai correctement puis m'efforçai de les réintroduire dans la bouteille. Préoccupée par son angoisse, il me fallut m'y reprendre à deux fois, car dans ma hâte je n'avais pas fait un rouleau assez serré. Finalement, je parvins à la glisser dans le goulot étroit et à remettre le bouchon.

– Bien, dit la voyante en poussant un soupir de soulagement. (Elle continua :) Peut-être que l'enfant s'est suicidé ? Je le vois dans l'eau, je vois quelqu'un qui essaie de repêcher quelque chose dans l'eau, quelqu'un qui plonge jusqu'au fond de l'eau. Je pense que c'est une femme. Je vois un bateau, une côte, donc je pense que la bouteille a été lancée de France, du côté de la Bretagne, quelque part dans ce coin là, peut-être.

« Je me demande si elle n'a pas été hospitalisée pendant un certain temps, dans une clinique psychiatrique ou autre… Je vois une femme qui perd beaucoup de sang, du sang venant du bas-ventre. (Elle agita les mains pour montrer des flots de liquide sortant de la femme.) Je la vois hospitalisée. Cette femme est allée à l'hôpital. On peut devenir fou de chagrin.

« Étrange, je sens quelque chose comme de la folie, quelque chose de plutôt dérangé, répéta la voyante. Elle est plus que perturbée ; bien sûr, on est perturbé par la mort d'un enfant, bien sûr, mais là, c'est pire. C'est une femme qui a touché le fond, qui est arrivée à un niveau de conscience…

« Je ne la sens plus, je ne sens pas la femme. Étrange, parce que je vois ses cheveux, je la vois errer, je la vois marcher sur la côte, je la vois partir à la dérive toute seule. Je vois quelqu'un – une femme qui est toute seule, peut-être divorcée ou séparée, mais de toute façon toute seule. Mentionne-t-elle qu'elle est seule dans sa lettre ?

– Elle ne mentionne pas d'homme, rétorquai-je.

– Selon moi, elle est seule. Complètement isolée. Une femme toute seule, très perturbée.

Un silence.

– Vous savez, reprit la voyante, je vois cette femme aussi clairement que je vous vois. Si j'étais douée en dessin, je pourrais vous la dessiner. Je vois une femme avec de longs cheveux. (Elle pointa le doigt vers la bouteille.) Les siens sont les plus foncés des deux. Ses cheveux pendent comme ça, ils sont plutôt longs.

De nouveau, elle fit glisser ses mains des deux côtés de sa tête.

– Son visage n'est pas rond, poursuivit-elle, elle est plutôt fine, son visage est un peu maigre. (Elle aspira ses joues.) Ses yeux sont assez clairs. Je la vois partir à la dérive, un peu comme ces femmes légèrement folles qu'on voit, errant dans les rues. Je la vois marcher. Je vois une petite maison. Une femme très solitaire, en jupe.

La voyante parlait sans s'arrêter maintenant et n'avait pas besoin d'encouragement.

– C'est une femme solitaire qui a vécu seule, une femme abandonnée par les hommes, qui a beaucoup souffert. Très solitaire. Mais elle n'est pas idiote. C'est une femme simple, pas très sophistiquée, mais en même temps une femme très intelligente, extraordinairement sensible. Une femme en recherche d'amour, seule et désespérée, en quête d'amour. Et j'ai aussi le sentiment qu'elle n'avait que son fils à qui se raccrocher.

Bien qu'elle n'ait pas lu la lettre, l'impression de solitude et l'analyse de sa relation avec son fils semblaient exactes.

– La femme a écrit cette lettre, car elle ne savait pas à qui parler. Elle a fait ça parce qu'elle se sentait très seule. Je la vois marchant, errant sur les rochers, sur les plages, toute seule, et elle avait besoin que quelqu'un connaisse son histoire. C'est une personne qui a confié son désespoir à la mer. Qui a offert son chagrin aux vagues.

« Je vois une côte, comme celle de la Bretagne. Je vois cette personne errer. Et c'est étrange, je vois près d'elle une femme, une mère ou une grand-mère habillée tout en noir, comme les Bretonnes, les femmes de la campagne…

« C'est une femme qui a été très marquée par sa mère. C'est curieux, je vois dans ses origines des femmes, beaucoup de femmes. Il y a plus de femmes que d'hommes dans sa vie.

« Il y a peut-être un J ou un G dans son prénom – Janine, Jacqueline, Geneviève. Je vois un J.

« Je vois l'enfant… Je vois… C'est bizarre… J'ai l'impression de… Elle ne mentionne pas du tout les raisons de sa mort ?

Je secouai la tête.

« Je vois une fièvre très violente, quelque chose d'infectieux, de dévastateur, de violent. Une espèce d'infection, un virus qui l'a emporté très rapidement. Je vois une fièvre, je vois un enfant trembler, mais en même temps je vois de l'eau. Je n'arrive pas à voir qui est en train de nager…

« Je vois quelqu'un qui a de la fièvre, mais en même temps quelqu'un sous l'eau qui essaie de repêcher quelque chose ; peut-être est-ce une scène qui n'a rien à voir avec la mort de l'enfant. Je vois quelqu'un plonger. Mais c'est elle qui va sous l'eau, c'est elle qui nage sous l'eau. Je ne pense pas que c'est quelqu'un qui s'est noyé, non, pas lui. Il a été saisi d'une sorte de fièvre, une infection, quelque chose comme ça. Mais elle, je la vois souvent avec ses cheveux, comme ça, sous l'eau.

Mentalement, je voyais la femme solitaire avec ses cheveux bruns, ses yeux clairs, plonger du petit bateau, nageant désespérément sous l'eau à la recherche de quelque chose. Une Ophélie active, non pas allongée calmement dans l'attente de se noyer. Les mains de la voyante s'agitèrent des deux côtés de sa tête, comme des algues flottant dans le ressac.

« Je ne connais pas l'histoire autour de cette eau que je vois. Pourquoi plonge-t-elle ? Cherche-t-elle quelque chose ? Je ne sais pas, je ne peux pas vous le dire. Mais ce n'est pas l'enfant que je vois sous l'eau, parce que je la vois près du cercueil, près de l'enfant. Je le vois allongé sur un lit. L'enfant est sur un lit. Mais pourquoi plonge-t-elle ? Cherche-t-elle quelque chose ? Je ne sais pas. Parfois, je la vois sur un bateau aussi. Je vois beaucoup d'eau.

« Qu'est-ce qu'il y a dans la bouteille ? demanda-t-elle brusquement. Des petites pierres ? »

J'essayai de lui expliquer la présence des copeaux de bois de santal parfumés, mais mon vocabulaire français me faisant défaut, je ne pus que murmurer quelque chose au sujet de « trucs qui sentaient bon ».

Elle opina de la tête.

– Je me demande si ce n'est pas pour cette bouteille qui flotte qu'elle plonge… Je ne sais pas. Il y a quelque chose de très conscient dans tout ça, de très organisé là-dedans. Les bouts de bois parfumés, la bouteille, les deux mèches de cheveux. La bouteille est belle. Très belle. Extraordinairement jolie. De nouveau, j'ai un terrible mal de tête. Je me demande si l'enfant n'a pas eu un problème avec sa tête…S'il a eu de terribles migraines. Ces migraines, cela doit avoir un rapport avec la tête.

Je pensai soudain à la tarologue qui avait elle aussi indiqué que la mort était liée d'une façon ou d'une autre à la tête de l'enfant.

– Mais c'est étrange, il y a une mort. La cherchez-vous ? Voulez-vous la rencontrer ?

Sa question soudaine me prit au dépourvu.

– Je ne sais pas, je veux connaître l'histoire, marmonnai-je.

Voulais-je la rencontrer ? Je ne le savais plus. Je n'arrivais pas à imaginer de circonstance où une telle rencontre serait facile. Je pense que je ne voulais pas la rencontrer, je voulais simplement connaître les réponses et savoir que maintenant elle était plus heureuse.

– Cette histoire vous a énormément bouleversée, n'est-ce pas ?

– Tout le monde ne le serait-il pas devant une telle tragédie ? ripostai-je.

– Pas nécessairement, dit-elle en haussant les épaules.

Stupéfaite, je retournai ces mots dans ma tête. Je suppose qu'elle avait raison, on pouvait lire cette lettre sans en être ému. Et de nouveau, je me demandai pourquoi j'avais consacré tant de temps à essayer d'en retrouver l'auteur ? Mon intérêt était-il normal ? Étais-je en train de devenir une épouvantable voyeuse ? À moins qu'il ne s'agisse que de tromper mon ennui ? Étais-je une femme trop peu occupée, trop disponible?

– Écrivez-vous ? demanda-t-elle soudain.

– Oui, admis-je.

Elle avait pu chercher mon nom sur Internet en vérifiant ses rendez-vous de la journée, mais j'en doutais. Un peu plus tôt au cours de la séance, elle avait semblé ignorer comment s'orthographiait mon nom. Après tout, j'étais une cliente parmi tant d'autres.

– Ce n'est pas par hasard si cette bouteille est arrivée jusqu'à vous. C'est comme si vous étiez censée écrire quelque chose dessus. Ce serait une bonne conclusion à cette lettre. C'est une histoire magnifique. Il y a quelque chose de romanesque dedans. Il me vient soudain une pensée stupéfiante, s'exclama-t-elle. Si un jour vous écrivez une histoire à ce propos, peut-être que quelqu'un la reconnaîtra. On pourrait vous contacter.

Puis elle redevint sérieuse et fronça à nouveau les sourcils en regardant ses cartes.

– Vous allez avoir des problèmes pour trouver cette personne. Êtes-vous sûre qu'elle est en vie ? Je vois la mort. Pour moi, cette femme n'est plus en vie. (Elle se tut un instant.) Je ne crois pas que vous la trouverez un jour, dit-elle d'un ton définitif en fixant ses cartes avec attention. Je ne la vois plus en vie. Pour moi, elle n'est plus en vie.

Et d'un geste brusque elle regroupa ses cartes, me souhaita bonne chance et s'enfuit de la pièce. La séance venait de s'achever très brusquement. Je remballai ma bouteille, en proie à une immense fatigue, et sa secrétaire me guida en silence vers la sortie.

CHAPITRE 21

Il semblait que j'avais enfin une réponse. L'auteur de la lettre était certainement morte. Et toujours d'après celle qui se prétendait prophétesse, je devais écrire un livre sur elle et sur les recherches entreprises pour la retrouver. Ma quête était enfin terminée. J'avais épuisé toutes les possibilités, exploré toutes les pistes en direct et les impasses, fait appel à la fois à des méthodes d'investigation scientifiques et alternatives. Je ne voyais pas ce que je pouvais faire de plus, à moins de passer le reste de ma vie à explorer les registres des trente-six mille mairies de France et je réalisai que mon obsession avait suivi son cours.

De retour à Londres, je sortis la bouteille et la regardai avant de décrocher mon téléphone et d'appeler mon amie, la promeneuse de chiens, pour lui dire que c'était terminé.

J'avais conçu le projet de rejeter la bouteille à la mer, afin qu'elle continue son voyage. Mon amie et moi organiserions une sorte de petite cérémonie avec l'équipe de secours en mer de Sheerness. Nous partirions de la plage où la lettre avait été découverte pour nous rendre à l'extrémité de leur zone de patrouille, là où les courants portaient vers le nord en direction de l'Arctique. Bien que vêtues de vestes molletonnées et de gilets de sauvetage, nous serions probablement transies d'humidité, gelées et malheureuses. Puis, arrivées sur la zone, nous prendrions la bouteille pour la lancer aussi loin que possible dans les vagues. Il y aurait un éclair bleuté en guise d'au revoir et elle disparaîtrait, engloutie par l'océan. Dans la morne grisaille, nous scruterions l'horizon encore et encore, mais elle serait partie « à jamais bercée par les flots dans le va-et-vient des vagues déferlantes »…

Mais si quelque chose m'avait échappé au cours de mon enquête ? S'il restait ne serait-ce qu'une piste de plus à explorer ? Et si l'auteur apparaissait et voulait que je lui rende la lettre ? Je compris que je n'étais pas tout à fait guérie. Je remis la bouteille dans son cocon de papier de soie, la couchai à l'abri dans sa boîte et la dissimulai dans un coin. Je la lancerais plus tard. Mais pas tout de suite.

Au départ, j'avais eu la conviction de parvenir un jour à retrouver l'auteur de la lettre. L'idée d'un échec me préoccupait moins que de savoir comment la mère vivrait le fait de voir son identité révélée. En serait-elle anéantie ou heureuse ? Je m'étais également inquiétée de savoir à quoi elle ressemblait. Tiendrait-elle ses promesses ? Ne valait-il pas mieux l'abandonner à son anonymat ? J'avais peur de me retrouver face, non pas à une poétesse tragique, mais à une personne beaucoup plus banale et ordinaire. Bien qu'une partie de moi inclinât à penser qu'elle serait heureuse d'apprendre que j'avais passé autant de temps à la chercher, heureuse que nous ayons envie de savoir ce qui était arrivé à Maurice, heureuse qu'il puisse continuer de vivre pour d'autres qui ne l'avaient jamais connu, je craignais que la lettre représente à ses yeux une sorte de finalité et qu'il soit discourtois d'empiéter sur son chagrin. C'est peut-être ce que j'ai fait en écrivant ce livre.

Je n'ai pas essayé de lancer un appel à la télévision. J'avais le sentiment que je devais à cette mère inconnue le soin de décider si, dans le cas où elle entendrait parler de mon enquête grâce aux petites annonces ou à ce livre, elle voulait se découvrir ou garder son anonymat. Sa lettre avait touché et ému tellement de gens : mon amie la promeneuse de chiens, la dame du bureau des statistiques, la femme du professeur, la graphologue, la plupart des personnes à qui j'en avais parlé et peut-être celles et ceux d'entre vous qui ont suivi cette quête. Pardessus tout, elle m'avait émue, moi. Je contemple mes propres enfants, je rends grâce de leur présence, et je m'inquiète pour eux et pour leur fragile existence, et je m'inquiète pour cette femme inconnue, dissimulée dans l'ombre, ne partageant son chagrin qu'avec son amie Christine et le fantôme de Maurice. Un chagrin que, dans sa solitude, elle a confié au « sombre océan illimité et sans frontière » afin qu'il y flotte à jamais… Mais cet océan « sans dimension, où la longueur, la largeur et la profondeur, le temps et l'espace sont perdus »[1], l'a trahie et a presque immédiatement rejeté la bouteille sur une plage anglaise.

La voyante avait probablement raison, la Française était morte. Il était étrange qu'en dépit de mes recherches, je n'aie pas trouvé de réel écho de son existence. Accordais-je réellement foi aux prédictions de la voyante ? Je ne savais plus ce que je croyais.

Mais si, quelque part, l'auteur de la lettre est en vie, alors peut-être ce livre sera-t-il une réponse maladroite, une autre « bouteille à la mer ».

À la mère de Maurice, où que vous soyez. La mer m'a apporté votre bouteille. J'ai lu votre lettre. Elle m'a émue. Elle m'a fait pleurer pour vous et avec vous. J'espère que votre chagrin deviendra plus supportable avec le temps. J'espère de tout mon cœur que vous avez trouvé le bonheur.

Je me demande si elle recevra mon message.

1. Tiré du *Paradis perdu* de John Milton, livre II.

Moi aussi, je ne peux que faire connaître au plus grand nombre un peu de l'amoncellement échoué,
Quelques grains de sable et de feuilles mortes à ramasser,
À ramasser et émerger moi-même comme faisant partie de ces grains de sable et de l'amoncellement.

Walt Whitman, « *As I Ebb'd with the Ocean of Life* » (1860).

*
* *

Note de l'auteur à l'intention du lecteur français

Deux ans après sa publication en langue anglaise, *La lettre dans la bouteille* paraît enfin en France. Depuis la sortie initiale de mon livre, j'ai reçu quantité de lettres et de courriers électroniques me demandant si ma quête avait progressé. Hélas, non ! J'avais fait tout mon possible, j'attendais une réponse.

À présent, avec cette très jolie traduction de Laure Joanin, ma « lettre à la bouteille » à une mère inconnue est balayée en avant par une nouvelle marée. Peut-être atteindra-t-elle le rivage…

REMERCIEMENTS

Je voudrais remercier tous ceux qui ont joué un rôle dans cette enquête. Catherine et Thierry m'ont offert une merveilleuse hospitalité à Paris et m'ont permis de manger et de ne pas perdre la raison lorsque j'étais noyée sous les archives.

Je ne donnerai pas les noms de toutes les personnes à qui j'ai demandé des conseils, d'abord parce que ces derniers m'ont été donnés parfois aux dépens de la législation ou parce que je n'étais pas d'accord avec eux. Cependant, je leur suis reconnaissante pour le temps et les efforts qu'elles y ont consacrés et j'espère qu'elles ne seront pas offensées par les conclusions que j'en ai tirées. Si quelqu'un possède de nouvelles informations, contactez-moi à cette adresse : *karen@karenliebreich.com*

Je voudrais remercier Jeremy qui m'a donné Sam et Hannah.

La Lettre dans la bouteille n'est pas une fiction.

Composition : Compo-Méca S.A.R.L.
64990 Mouguerre

Impression réalisée par
Corlet Imprimeur
pour le compte des Éditions Michel Lafon

Imprimé en France

Dépôt légal : mai 2009
N° d'impression : 120596
ISBN : 978-2-7499-1028-4
LAF : 1194